ÊTRE JEUNE À TOUT ÂGE

DU MÊME AUTEUR

Vos mains sont vos premiers médecins, Fixot, 1994 ; Robert Laffont, 2003 ; J'ai lu, 2004.

Soyez invulnérable. Prenez soin de vous au fil des saisons grâce à la médecine traditionnelle chinoise, Robert Laffont, 1999.

J'ai choisi la liberté, XO Éditions, 2006.

Dr Nadia Volf

Être jeune à tout âge

La méthode pour vivre heureuse et en forme longtemps

Guide pratique illustré

Avec la collaboration de
Marie-Christine Deprund

XO
EDITIONS

Tous les dessins sont de François Dimberton

© XO Éditions, 2009
ISBN : 978-2-84563-335-3

Aux femmes

« *La vie, c'est un effort que tu accomplis à chaque instant.* »

Léon TOLSTOÏ

Avant-propos

Quand Estelle est entrée dans mon cabinet, j'ai été très heureuse de la revoir. Je savais presque tout d'elle : je l'avais soignée quand elle était enfant, l'avais accompagnée pendant ses défis d'adolescente, et je l'avais suivie pendant sa grossesse. Estelle, d'habitude souriante et lumineuse, avait ce jour-là une mine sombre. Elle a fondu en larmes en me faisant part de ses doutes : « Docteur, j'ai l'impression que ma vie est finie. J'ai un bon travail, une magnifique famille, j'adore mon bébé et, pourtant, tout à coup, j'ai horriblement peur de vieillir. Je ne sais plus ce qu'il faudrait manger. Je n'ose plus me mettre au soleil. Comment peut-on faire pour ralentir le cours du temps ? »

Exerçant mon métier de médecin depuis plus de trente ans, spécialisée en acupuncture, j'ai souvent été confrontée à ce genre de situation : des femmes qui s'interrogent sur leur avenir, craignant de perdre leur forme et leur santé avec les années.

Dans la tradition chinoise, la forme, la santé, les capacités de réagir dépendent de l'énergie vitale, le *qi*. De nombreux médecins occidentaux s'intéressent aujourd'hui à cette énergie. Des spécialistes du cancer, des maladies chroniques, s'interrogent à son sujet et l'investissent comme domaine de recherche. Les Chinois d'autrefois, ceux qui ont découvert les vertus de l'acupuncture, ont expliqué son efficacité en fonction des connaissances de leur époque, dans laquelle la philosophie se mêlait à la science. Aujourd'hui, nous sommes capables de la passer au crible des nouvelles découvertes médicales. Les études sont de plus en plus nombreuses à prouver ses mécanismes d'action reproductibles selon des modèles scientifiques modernes [1]. Et je suis certaine que nous ne sommes qu'à l'orée de ces découvertes. C'est d'ailleurs une piste essentielle des recherches que je mène.

L'énergie vitale n'a pas une forme figée, elle change tous les jours et même à tous les moments – c'est un système dynamique qui évolue en fonction des modifications de l'environnement. Elle permet à l'organisme de vivre et de s'adapter à tous les changements, et le protège contre les agressions externes. La maintenir en « haut débit » de puissance est le but de la médecine traditionnelle chinoise. Forte de mes années de pratique et d'exercice de la médecine, j'ai décidé d'écrire ce livre pour expliquer comment préserver cette énergie.

J'ai rencontré la médecine chinoise très tôt dans ma vie et dans des circonstances assez dramatiques.

J'avais quatorze ans. C'était au nouvel an 1976. Avec mes parents, nous vivions en URSS, tant bien que mal. Mon père, blessé pendant la guerre, en avait gardé une fragilité respiratoire chronique.

Ce jour-là, alors que nous nous apprêtons à fêter la nouvelle année chez des amis que nous sommes allés rejoindre non loin de Leningrad (redevenue depuis Saint-Pétersbourg), où nous habitons, mon père tombe malade, frappé d'une très forte crise d'asthme. Ma mère, elle-même médecin, ne peut rien faire. Un de ses collègues médecin, appelé en urgence, diagnostique une pneumopathie et décide de lui administrer un nouvel antibiotique, tout juste commercialisé. Qui reste sans effet. Bientôt, mon père commence à étouffer. Il cherche sa respiration, devient bleu. Le médecin pense à une allergie à l'antibiotique, dont les effets n'ont pas encore été bien étudiés... Mon père est alors rapatrié en urgence à Leningrad, malgré les risques. Il est placé sous perfusion. Son meilleur ami, patron d'un service de chirurgie, s'occupe de lui. Il ne nous cache pas son inquiétude.

Pendant la nuit, l'état de mon père s'aggrave encore. Les spécialistes se relaient à son chevet, mais rien ne vient à bout de cet asthme. Il s'étiole, harassé par cette lutte pour respirer.

C'est d'un de ses amis que va venir le salut. Ou plutôt d'une frêle femme qui l'accompagne. « Je te présente le docteur Maria Sergéevna Shamshina, déclare-t-il à mon père. Elle va te faire respirer. »

Après une nuit blanche, ma mère et moi sommes épuisées et inquiètes. Franchement, nous n'attendons pas de miracle… Commence alors une scène qui est gravée à jamais dans mon esprit. Cette femme s'approche de mon père, s'assied au bord de son lit et lui saisit le poignet, sans rien dire ni poser de questions. Elle continue d'examiner mon père des pieds à la tête, regarde ses oreilles, en demandant d'approcher la lampe, car elle a besoin de la lumière pour remarquer chaque petit détail, la moindre marque sur les auricules. Avec la même concentration, elle ausculte la langue, appuie sur des points précis du corps, en vérifiant leur sensibilité. Puis, au bout d'un moment, elle annonce son diagnostic : « Vous avez eu la malaria, n'est-ce pas ? » Mon père, trop fatigué pour parler, hoche la tête. « Et également le scorbut… » Elle lui parle ensuite de son estomac – mon père a eu un ulcère – et de son foie. « Votre foie a été affaibli par la malaria, il ne fonctionne plus très bien. C'est pour cela que vous avez fait une allergie à l'antibiotique. Vous n'êtes pas parvenu à l'éliminer. Cette réaction allergique a causé les spasmes des bronches. »

À l'époque, j'ai été surprise par cet examen détaillé et étrange, ainsi que stupéfaite par l'exactitude de son diagnostic. Aujourd'hui, je sais que Maria a simplement pratiqué un examen classique d'acupuncture.

Dans un silence inquiet, cette femme sort alors des petites aiguilles de son sac. Nous ne comprenons pas très bien où elle veut en venir, mais, puisque aucun médicament n'a fait d'effet, nous n'avons rien à perdre. Elle place ses aiguilles, puis l'attente reprend. Au début, nous n'osons y croire. J'échange des coups d'œil avec ma mère : il nous semble bien que mon père respire mieux. Au bout d'un moment, Maria Sergéevna annonce qu'elle doit partir, mais qu'elle reviendra le lendemain matin.

Dans la nuit, mon père retrouve une respiration normale. Il peut enfin s'endormir, après ces jours de torture. Dès cet instant, je n'ai plus eu qu'une idée : apprendre les mécanismes de cette action puissante, efficace et immédiate, comprendre comment elle pouvait ainsi venir à bout de maux si graves, pour la transmettre au plus grand nombre. Et Maria Sergéevna est devenue mon professeur alors que j'étais au lycée, je lui servais d'assistante plusieurs heures par jour.

Lorsque j'ai entamé mes études de médecine, j'ai voulu articuler ce que j'apprenais dans mes cours avec l'enseignement que Maria Sergéevna m'avait livré. J'ai commencé à questionner mes professeurs sur cette pratique ancestrale et empirique qu'était la médecine traditionnelle chinoise – sans grand succès. Ils ne prêtaient que peu d'intérêt à cette discipline, ce qui m'a poussée à chercher par moi-même les réponses qui me manquaient. Timidement tout d'abord – et avec l'accord de mes professeurs –, j'ai pu stimuler certains points chez des malades « tests » pour en étudier les effets. Le jour où j'ai pu démontrer que les enfants atteints de scarlatine dont j'avais stimulé le point *hegu* guérissaient plus vite que les autres [2], on a commencé à me regarder d'un autre œil. *Idem* avec les deux points *chize* qui arrêtent la toux et stoppent les réactions allergiques chez des enfants souffrant d'asthme [3]…

Quelques années plus tard, lorsque j'ai soutenu ma thèse de médecine à Leningrad, j'ai cherché à créer un cours d'acupuncture à la faculté de médecine. Par expérience, je savais que dans les milieux scientifiques, cette discipline était depuis longtemps considérée comme « peu sérieuse » et mise à l'écart. J'ai donc d'abord essuyé un refus du ministère de l'Éducation. Bien décidée à aller jusqu'au bout de ma démarche, j'ai fait le déplacement jusqu'à Moscou pour rencontrer le ministre en personne afin de faire valoir mes arguments. Mais je n'ai presque pas eu besoin de parler ! Le ministre souffrait alors d'un rhume des foins, ainsi que de douleurs lombaires. Je lui ai proposé de le soigner grâce à l'acupuncture. Après une séance, il a été suffisamment soulagé pour être convaincu du bien-fondé de mon enseignement…

Quand un patient voit ses symptômes disparaître uniquement grâce à l'action de l'acupuncture, il a parfois l'impression qu'il s'agit d'un traitement « magique ». Pourtant, la médecine traditionnelle chinoise n'est pas un « remède miracle », pas plus que la médecine occidentale n'est inefficace à soigner ou que l'allopathie n'est dangereuse pour la santé. Ces deux sciences sont complémentaires dans le traitement des maladies. Il en va de même pour les maladies graves : elles doivent être soignées avec toute la force de la médecine occidentale moderne, secondée dans un protocole global par la médecine traditionnelle, qui permet une guérison plus rapide, une qualité de vie accrue, et prévient les rechutes.

Mais la médecine chinoise, en plus de jouer sur la guérison, possède une méthode particulièrement efficace de diagnostic et de prévention.

Une légende bien connue en Chine raconte qu'un jour, l'un des médecins de l'empereur lui diagnostiqua une maladie, mais à un stade si peu avancé qu'aucun symptôme n'était perceptible. Comme l'empereur se sentait en bonne santé, il le renvoya chez lui en lui affirmant que tout allait bien. Six mois plus tard, le médecin vint de nouveau et conseilla à l'empereur de se soigner, car son mal s'était aggravé. L'empereur lui rétorqua qu'effectivement, il souffrait de petits désagréments, mais qu'il n'avait pas le temps de se soigner. Six mois s'écoulèrent de nouveau, et le médecin ne put guère convaincre davantage l'empereur de s'occuper de lui. Six mois plus tard, le médecin quitta le royaume. Ses amis l'interrogèrent. « L'empereur n'a pas voulu m'écouter quand je l'ai averti de son mal. Maintenant que celui-ci est trop avancé, je ne peux plus rien faire. Et bientôt, il me condamnera pour cela. Je préfère partir. »

Dans la médecine occidentale, le signal d'alarme est l'apparition d'un symptôme de la maladie, déjà développée ; alors que les troubles constatés ne sont que le résultat d'un long dysfonctionnement d'une partie de l'organisme, que l'on aurait pu traiter avant que la maladie ne se déclare.

J'ai voulu écrire ce livre justement pour que chaque femme s'occupe d'elle le plus tôt possible. En connaissant le fonctionnement de son organisme, les changements qui interviennent à chaque âge, il est possible de comprendre ses forces et ses faiblesses, et ainsi de s'attaquer aux causes mêmes des maux qui peuvent survenir afin de les éradiquer.

Notre santé est en grande partie entre nos mains. Nous naissons avec un patrimoine génétique qui nous programme pour vivre cent vingt ou cent trente ans, et notre tâche consiste à ne pas nous user précocement, à maintenir, voire à accroître, le capital de santé dont nous avons hérité à la naissance. Tout au long de notre vie, nos particularités nous accompagnent. Les nier, aller contre sa nature, essayer de s'aligner sur les autres ne peut qu'engendrer frustrations et maladies. Tout au contraire, comprendre sa nature, l'admettre, l'aider à grandir, comme une plante dans un terreau qui lui convient, permet de vivre longtemps et pleinement.

Il nous faut être capables d'affronter les agressions externes : climatiques d'abord (le froid, le vent, la chaleur, l'humidité, la pluie...), mais aussi infectieuses (des milliers de bactéries, de virus et de champignons nous entourent), toxiques (radioactivité, pollution, substances chimiques dans l'alimentation), psychologiques et sociales. Pour y faire face, nous devons nous donner les moyens de lutter : si la résistance est bonne, l'ennemi ne peut pas nous atteindre ! Et ces moyens, justement, dépendent de l'âge et des particularités de chacune.

Cet ouvrage permet de comprendre les caractéristiques de la période que l'on est en train de vivre, ses avantages et ses failles, et de savoir comment y faire face pour développer au maximum ses possibilités.

Un manuel de longévité pour être épanouie à tous les âges de votre vie, voilà comment j'envisage ce livre.

Les grands principes de la médecine traditionnelle chinoise

Dans la Chine ancienne, l'usage voulait que l'on paie son médecin quand... on allait bien. Aussitôt la maladie déclenchée, les soins devenaient gratuits. Voilà un point de vue qui éclaire la philosophie de la médecine chinoise traditionnelle : prévenir la maladie. C'est pour cela que selon les Anciens, « un mauvais médecin voit les symptômes et les soulage, un bon médecin trouve la cause de la maladie et la guérit, un excellent médecin décèle les fragilités de l'organisme et prévient la maladie ».

Pour la médecine chinoise, il n'est pas question de donner un même traitement – de l'aspirine – à trois patientes souffrant de maux de tête. Certes, il faudra d'emblée calmer la douleur, mais ce n'est que le début. Une migraine peut être déclenchée par le cycle hormonal, ou par un repas bien arrosé, ou encore par une tension artérielle à la hausse. Dans chacun de ces cas, le traitement sera différent.

Il est important de bien comprendre quelle place cette médecine traditionnelle, et en particulier l'acupuncture, peut prendre dans la chaîne des soins. Selon les pathologies, en effet, on ne l'utilisera pas de la même façon. Un torticolis simple, par exemple, pourra être traité exclusivement par l'acupuncture, tandis que de l'arthrose cervicale nécessitera l'utilisation d'un anti-inflammatoire. En revanche, l'acupuncture permettra de l'utiliser à des doses plus faibles, et d'en limiter les effets secondaires.

Prenons le cas d'une angine bactérienne. Le streptocoque à l'origine de cette maladie devra être combattu par des antibiotiques. Mais l'acupuncture aura aussi son rôle à jouer, car elle potentialise les effets des médicaments, en stimulant les défenses immunitaires, en supprimant les douleurs, la fatigue et la fièvre, et en donnant de l'énergie.

Comment fonctionne la médecine chinoise ?

Nous l'avons vu, le *qi* ou énergie vitale circule dans le corps. C'est une force dynamique, en perpétuel mouvement, qui dépend de l'environnement. De même, chaque organe n'est pas considéré isolément, mais comme un système, en relation avec les autres organes et les autres composantes de l'organisme. Le corps est divisé selon cinq systèmes d'organes : poumons et gros intestin ; reins et vessie ; foie et vésicule biliaire ; cœur et intestin grêle ; rate, pancréas et estomac. Chaque système fonctionne par couple d'organes, chacun incarnant le *yin* ou le *yang*, qui sont des forces opposées et complémentaires, assurant ainsi l'équilibre de l'organisme. Tous les organes sont eux-mêmes reliés par un méridien représentant le trajet de l'énergie *qi* qui circule dans le corps.

Pour tout symptôme, il faut d'abord diagnostiquer lequel des cinq grands systèmes est en cause. Si l'on reprend l'exemple de la migraine, si celle-ci est déclenchée par le cycle hormonal, c'est le système reins-vessie qui est en cause, alors que si elle suit un repas bien arrosé, il faudra rétablir l'équilibre dans le système foie-vésicule biliaire.

L'énergie vitale circule à travers les méridiens (qui sont donc les lignes invisibles qui relient les organes et les points d'acupuncture). La beauté est le résultat du bon fonctionnement de l'ensemble du corps, mais, chez la femme, elle est particulièrement liée à l'expression de l'énergie du méridien des reins, considéré comme la source innée de l'énergie vitale. Le méridien des reins englobe les énergies des reins, des ovaires, de l'utérus et des glandes surrénales, mais aussi l'énergie héréditaire, celle qui est transmise génétiquement à chacun de nous par ses parents.

Le bon fonctionnement de ce méridien dans l'organisme de la femme assure donc sa beauté, sa bonne santé, son équilibre et sa résistance physique et psychologique, ainsi que sa longévité.

Dans les textes chinois anciens, il est écrit : « Quand les reins sont forts, la lumière rayonne sur le visage et les yeux, les traits sont souples et fermes, la peau est douce et lisse, les mouvements sont rapides et gracieux. » Les rythmes des changements de l'énergie du méridien des reins sont à la base des rythmes biologiques de la femme : la venue et la disparition des règles, la fertilité, la grossesse, l'accouchement, l'allaitement, la ménopause en dépendent. La sexualité, la sensualité dépendent aussi du méridien des reins. À son tour, le méridien des reins stimule l'énergie du méridien du foie qui, elle, se manifeste dans les yeux. Son bon fonctionnement s'exprime dans le rayonnement du regard, dans l'excellence de la vision. En suivant le méridien de l'estomac, l'énergie vitale se manifeste dans la bouche et les lèvres, contrôle la bonne digestion et l'assimilation des aliments, assure la forme des muscles et de la silhouette. À travers le méridien du cœur, l'énergie vitale se manifeste dans le langage, dirige la circulation du sang, l'équilibre émotionnel, la mémoire et le discours.

Chaque méridien est constitué d'une multitude de points, les points d'acupuncture, qui agissent directement sur l'organe lui-même.

Les mécanismes de l'acupuncture sont multiples. L'un est lié aux réactions biochimiques. Il se trouve que la stimulation des points d'acupuncture provoque la libération dans l'organisme de substances biologiques très actives, les endorphines. Les points d'acupuncture sont de véritables « coffres-forts » pour ces substances. Les endorphines, ou les opioïdes internes, sont des neurohormones avec des fonctions diverses : elles ont des capacités analgésiques et, dans le système nerveux central, jouent un rôle de régulateur pour tous les autres systèmes des neuro-hormones. Ainsi, elles influencent la résistance vis-à-vis du stress, l'équilibre émotionnel, les défenses immunitaires. À travers les endorphines, les points d'acupuncture agissent sur tous les systèmes fonctionnels.

L'acupuncture n'est pas la seule « arme » de la médecine traditionnelle chinoise. Les plantes tiennent également une place importante – tout comme dans la médecine occidentale, d'ailleurs, puisque la plupart des médicaments sont extraits de plantes.

Ce qui lui est plus spécifique est sa façon de considérer l'homme comme un tout, et comme un tout unique. Les particularités de chacun sont prises en compte au cas par cas, à l'exemple des plantes, dont l'une a besoin de beaucoup de lumière pour croître, tandis qu'une autre demande de l'ombre.

Apprenez à masser les points d'acupuncture

Notre corps est une petite planète. Sur les méridiens sont disposés trois cent soixante-cinq points. Les méridiens sont soumis aux forces qui animent tout l'univers, le *yin* et le *yang*. Grâce à l'acupuncture ou, un peu plus faiblement, grâce à la digitopuncture, qui utilise le massage des points avec un doigt, on peut réguler ces énergies. Selon le point utilisé, on apporte de l'énergie manquante ou, au contraire, on draine de l'énergie excédentaire. C'est un système d'adaptation, d'autorégulation de l'organisme que le corps possède, un circuit comme le système sanguin ou le système nerveux.

Évidemment, la science occidentale a essayé d'en savoir plus sur ces méridiens et sur ces points d'acupuncture, à grand renfort d'expériences physiques et électroniques… Sans succès ! On constate scientifiquement ses effets, mais ce système subtil ne laisse pas de marque anatomique visible, de même qu'un champ électrique ou magnétique n'est pas détectable visuellement. Cependant, on a démontré, par exemple, que si l'on stimule le premier point du méridien de la vessie, à l'angle interne de l'œil, on constate une augmentation de la température dans le dernier point de ce même méridien, au bout du petit orteil [4]. Après tout, la science occidentale ne sait pas non plus

COMMENT TROUVER LES POINTS À MASSER ?

Puisque chacun est différent, les proportions du corps varient. Par contre, les repères anatomiques – os, articulations, structure osseuse – restent identiques. C'est pour cela que la médecine traditionnelle chinoise a inventé le système des distances proportionnelles, appelées « tsoun », qui correspondent aux travers de doigt de la personne concernée.

Par exemple, 1 tsoun = 1 travers de pouce, 3 tsouns = 4 travers de doigt. Pour faciliter la localisation des points d'acupuncture, cet ouvrage a recours aux distances proportionnelles. Ainsi, en utilisant les repères anatomiques précis et les travers de doigt, chacune d'entre vous trouvera l'endroit exact des points à masser.

Chaque point minuscule (de 0,2 à 0,8 mm^2) est situé sous la peau à une distance de la surface variable d'un individu à l'autre. On le reconnaît, quand on a l'habitude, à quelques caractéristiques : la peau qui le recouvre est un peu plus fragile, la conduction nerveuse plus élevée, la sensibilité et la température différentes. Avec un peu de pratique, vous saurez vite les trouver. En appuyant sur cette zone avec le doigt, on ressent une légère douleur.

très bien définir ce qu'est la mémoire, ce qui ne nous empêche pas de savoir que nous avons des souvenirs… Alors, restons pragmatiques : aussi bien les expériences sur les animaux que les tests cliniques humains ont permis de valider l'efficacité de l'acupuncture. L'imagerie moderne, basée sur la résonance magnétique, montre que la stimulation d'un point d'acupuncture active des zones précises dans le cerveau [5]. Beaucoup de travaux scientifiques ont prouvé notamment l'efficacité de l'acupuncture pour soulager les douleurs, les nausées et les vomissements dans les périodes postopératoires, aussi bien chez les adultes que chez les enfants [6].

Ainsi, la médecine traditionnelle chinoise apporte deux recours : d'une part, les moyens de traitement, et, d'autre part, une méthode de prévention, basée surtout sur la règle des « Trois A » : Alimentation, Activité physique et Acupuncture.

LA PRATIQUE DES MOXAS

Au lieu de masser les points d'acupuncture, on peut les « réchauffer ». Comment ? En utilisant des bâtons d'armoise que l'on allume et que l'on passe en regard des points des méridiens pour les stimuler.

Cette plante, connue pour ses qualités anti-inflammatoires, bactéricides et régénératrices, a été baptisée *Artemisia vulgaris* par Hippocrate, le célèbre médecin grec, en référence à Artémise, la déesse de la santé et la protectrice des femmes malades.

On a découvert que lorsqu'elle brûlait, l'armoise émettait des rayons infrarouges, un peu comme un laser, qui pouvaient pénétrer jusqu'à douze centimètres sous la peau et assuraient une action anti-inflammatoire et régénératrice « en profondeur ».

En Chine, l'utilisation de l'armoise est aussi ancienne que l'acupuncture elle-même. D'ailleurs, là-bas, cette médecine ne s'appelle pas acupuncture, mais *jhen zu* ou « stimulation des points par les aiguilles » *(jhen)* et « réchauffement » *(zu)*. Encore aujourd'hui, les moxas sont loin d'être détrônés par la médecine occidentale. On les utilise beaucoup, notamment chez les enfants, à la place des aiguilles.

Pour les utiliser, c'est simple. Il vous suffit d'acheter des bâtonnets dans une boutique chinoise. Allumez la pointe d'un bâtonnet (attention, la température va monter jusqu'à 734 °C !) et placez-la juste en regard du point d'acupuncture à stimuler. Posez un index à côté du point, ainsi vous ressentirez la chaleur et ne risquerez pas de vous brûler. Une forte fumée à l'odeur très agréable et aux vertus bactéricides se dégage et vous sentez la chaleur sur la peau. Laissez agir quelques minutes.

Comment utiliser cet ouvrage ?

À chaque grande étape de la vie, j'ai consacré un chapitre, de manière à ce que chacune se repère facilement.

Tous les chapitres sont divisés en deux parties : une première, explicative, qui permet de comprendre les changements de l'organisme, et une seconde, pratique, qui apporte des solutions concrètes pour se soigner.

Il va de soi que certaines pathologies ou certaines fragilités peuvent se rencontrer à différents âges et, plutôt que de répéter chaque fois les conseils, j'ai préféré doter cet ouvrage d'un index, qui rendra sa consultation plus aisée.

On retrouvera également, en annexes, des conseils pratiques qui concernent différents moments de la vie, indépendamment de l'âge : les bons gestes pour voyager sereinement par exemple, les précautions à prendre pour renforcer ses défenses au fil des saisons, ou encore comment arrêter de fumer grâce aux points d'acupuncture.

20 à 30 ans
L'âge des débuts

D'un point de vue anatomique, la fin de la période de formation du corps de la femme intervient au début de la vingtaine. Les médecins chinois déjà considéraient que l'organisme de la femme évoluait selon des cycles de sept ans. Ainsi estimaient-ils que la vingt et unième année marquait l'achèvement de la croissance et de la maturation des organes. Cet âge correspond également au début d'une nouvelle vie dans notre société, puisque c'est le moment, en général, où l'on prend son envol du nid parental et où l'on fait l'apprentissage de l'autonomie.

Ces deux éléments vont être déterminants sur les plans physique et psychologique. Ils sont en effet la clé de tous les éventuels problèmes de santé et déséquilibres.

Les déséquilibres digestifs et hormonaux sont une source de maux potentiels multiples. Le mal de dos, par exemple : un déséquilibre des taux d'œstrogènes et de progestérone a des conséquences sur la colonne vertébrale. La rétention d'eau qui en est le corollaire aboutit à une mauvaise circulation du sang, et le gonflement du disque intervertébral qui s'ensuit cause une pression sur les terminaisons nerveuses, entraînant douleurs lombaires ou cervicales.

À SURVEILLER

- les défenses immunitaires ;
- les déséquilibres hormonaux ;
- la digestion ;
- les effets du stress.

UNE DISCUSSION AVEC UNE PATIENTE...

– J'ai toujours été bonne élève, je suis sportive et volontaire. Mais, depuis quelque temps, j'ai mal au dos, je tombe de fatigue, à tel point que je n'arrive plus à fournir les efforts nécessaires pour suivre mes cours à la fac. Et, pour couronner le tout, je suis tout le temps malade – rhume, sinusite, mal à la gorge... Comment est-il possible de se sentir aussi fatiguée à mon âge ?

Tania, vingt et un ans, se croit malade malgré des examens médicaux absolument normaux. Elle est pâle et son teint est brouillé. Tandis qu'elle raconte ses malheurs, ses yeux gris clair expriment un immense désarroi.

En tant que médecin, ma première préoccupation est de la rassurer.

– Entre vingt et trente ans, vous vivez une période cruciale. La transformation de votre fond hormonal vous a imposé de nouveaux rythmes biologiques, la structure et la posture de votre corps ont changé, votre organisme est bouleversé. Vos émotions, votre manière d'appréhender le monde ont fait de vous une femme. Et c'est fatigant !

« La médecine traditionnelle chinoise considère qu'aucun individu n'existe isolément, il fait partie d'un monde complet, composé de végétaux, de minéraux, d'animaux... Ce monde est régi par deux forces, l'une féminine, le *yin* (les forces tournées vers l'intérieur, l'inertie, la lune, le froid, la nuit...), et l'autre masculine, le *yang* (les forces tournées vers l'extérieur, le soleil, le jour...). Ces deux forces coexistent, varient l'une par rapport à l'autre, se modifient sans cesse. L'être humain porte en lui ces forces, qui se manifestent dans toutes ses fonctions : sa fréquence cardiaque, sa respiration, ses sécrétions hormonales...

– Alors, qu'est-ce que la maladie ? demande Tania.

– C'est une rupture dans cette harmonie, à la fois dans l'organisme humain et dans son environnement. C'est en cela que la médecine chinoise diffère de la médecine occidentale qui, elle, considère l'individu isolément et le découpe en morceaux selon ses maux et ses symptômes. Aujourd'hui, ce système, qui a sauvé beaucoup de vies, trouve aussi ses limites. Les gens souffrent de ne plus être reliés aux forces de la nature, ils veulent retrouver ce lien primordial. C'est ce que leur propose la médecine orientale.

Tania est captivée. Visiblement, ce discours lui parle.

– Dans la médecine traditionnelle chinoise, le fonctionnement des hormones sexuelles appartient au méridien des reins, un système qui englobe les reins, les glandes surrénales, l'utérus et les ovaires (ce qui correspond dans la médecine occidentale à la sphère uro-génitale). Dans votre cas, vous souffrez de maux de dos, d'acné, de fatigue, d'infections fréquentes... Le traitement s'impose : il faut stimuler les points du méridien des reins, et assouplir les muscles du dos pour permettre l'allongement de la colonne vertébrale.

Par ailleurs, vous devez aussi stimuler vos défenses immunitaires pour renforcer votre organisme vis-à-vis des facteurs infectieux.

Les sécrétions des hormones féminines ont encore bien d'autres effets sur l'organisme : régularité des règles, bien sûr, mais aussi équilibre des sécrétions de l'estomac. En effet, trop d'acidité dans l'estomac a des conséquences directes sur la flore intestinale et le système immunitaire.

Les maux de dos sont fréquents à cette période, surtout si, durant l'adolescence, on n'a pas fait suffisamment attention à la croissance harmonieuse de la colonne vertébrale. Une scoliose passée inaperçue peut être source de vives douleurs. Mais, même en l'absence d'une telle pathologie, les douleurs sont fréquentes. La cause en est simple : durant la croissance, les os ont parfois grandi plus vite que les muscles. Ceux-ci, comme des haubans trop courts pour un mât, sont la proie de contractures et de tensions.

Le stress, enfin, accentue tous ces problèmes et peut être le point de départ de comportements à risque tels que l'addiction à l'alcool ou à d'autres substances toxiques. C'est une cause de fatigue importante, voire d'épuisement.

Le teint hérite de ces points faibles : il se brouille si la digestion n'est pas bonne, se marque d'acné si la résistance contre les microbes n'est pas optimale. Souvent, pendant cette période, l'on est aussi sujette aux maux de ventre, ainsi qu'à un affaiblissement des défenses immunitaires, avec pour conséquences des risques d'infections respiratoires, de sinusites, d'eczéma ou d'allergies à répétition. Quelques négligences du côté de l'alimentation – loin des parents, les plats industriels sont si pratiques... – sur un dérèglement de l'appétit et voici, en plus, une petite tendance aux problèmes de poids.

Une fatigue récurrente

Les bouleversements subis par le corps, l'inquiétude – voire l'angoisse – à propos de l'avenir, la fin des études ou les débuts d'une carrière professionnelle, la nécessité de prendre en charge des aspects de la vie pratique dont on ne se souciait pas auparavant sont autant de facteurs de fatigue dont on sous-estime souvent l'importance.

Cette fatigue n'est pas toujours comprise – n'est-on pas censé être en pleine possession de ses moyens quand on entre dans la vingtaine ? Il est pourtant fondamental de la prendre en compte. Impossible de l'éviter : c'est le moment de faire face aux nouveaux défis qui se présentent, de construire sa vie, alors que l'énergie de l'organisme est à son maximum. Car cette fatigue est le corollaire d'une énergie par ailleurs importante. La vingtaine, c'est l'âge des possibles, c'est une période où rien ne semble inatteignable.

« Je n'ai plus confiance en moi, j'ai du mal à mémoriser, à me concentrer. Comment faire pour ne pas aller à la catastrophe et rendre une feuille blanche ? » Voilà ce que l'on entend souvent les étudiants dire au moment de passer leurs examens. Après des semaines d'efforts pour mémoriser leurs cours, la fatigue se fait sentir et affaiblit la résistance au stress.

Le stress peut avoir des effets différents selon les personnes. Certaines, par exemple, auront des difficultés d'endormissement, ou encore se réveilleront plusieurs fois dans la nuit, en proie à une grande agitation. Pour d'autres, les effets seront axés sur l'estomac. Une forte anxiété peut avoir pour conséquence une surproduction de sucs gastriques, causant des douleurs de l'estomac ou du côlon. La destruction de la flore intestinale qui s'ensuit débouche sur une moins bonne résistance de l'organisme face aux agressions microbiennes. D'où une fatigue supplémentaire, et des infections multiples.

La fin des études n'est pas toujours synonyme de fin de stress. Les débuts d'une vie professionnelle sont en effet loin d'être simples. C'est le moment de mettre en pratique ce que l'on a appris, de montrer ce dont on est capable dans un univers où l'on ne « joue » plus. Le nouveau rythme de vie demande une capacité d'adaptation importante.

L'alimentation est la première source d'énergie

Face à cette fatigue, le premier réflexe est de se tourner vers la nourriture. Mais l'énergie apportée par des aliments « coup de pouce », comme des barres chocolatées par exemple, ou tout aliment gras et sucré vers lequel on se tourne naturellement, est un leurre. On se sent provisoirement boostée lorsque le sucre arrive dans le sang, mais gare à l'effet rebond. Les sucres rapides créent une élévation de la fabrication d'insuline, ce qui, assez vite, aboutit à une hypoglycémie (baisse du taux de sucre dans le sang, qui se traduit par un épuisement total, parfois des vertiges, voire des pertes de connaissance) si l'on n'a pas ingéré de sucres plus lents. La solution est pire que le mal… Les sportifs savent que pour tenir sur une grande distance, mieux vaut manger des féculents. À long terme, le bilan de la consommation de sucres rapides est négatif : on prend du poids et l'organisme, mal nourri, s'en ressent. Vouloir compenser cela par une sous-alimentation ponctuelle est une illusion : à la fatigue va s'ajouter la frustration.

La façon de se nourrir tient une place très importante à cet âge. C'est en effet le moment où l'on acquiert une totale indépendance alimentaire. Finis les repas mitonnés par les parents. Il s'agit maintenant de prendre en charge son alimentation. Avec le volume de travail que l'on a déjà, il est tentant de se nourrir sur le pouce, rapidement. D'autant que l'on est habituée, souvent, aux *fast-foods* de l'adolescence. Après en avoir profité pendant quelques années, il est impératif de donner à son corps des nutriments qui vont l'aider à fonctionner harmonieusement et à éviter une fatigue supplémentaire liée à des difficultés de digestion et à un mauvais équilibre.

Bref, il faut remplacer aussi souvent que possible les frites par des fruits et des légumes ! En plus, ils apportent des antioxydants, qui permettent de lutter contre le vieillissement, mais surtout protègent contre les cancers. De nombreux travaux scientifiques, menés par des chercheurs de plusieurs pays, ont démontré que la prise d'antioxydants, présents dans les légumes et les fruits, protège contre différents types de cancers [1].

« Bien manger », voilà une notion qui devrait être toute naturelle et qui, pourtant, n'est pas si simple à mettre en œuvre. En effet, on se trouve souvent déboussolée entre les tentations, le besoin de combler la nervosité et le désir d'être mincissime.

Et pourtant, bien manger, c'est assez simple, il suffit de ne pas en faire une obsession. Il faut bien sûr adopter une bonne diététique, mais il ne faut jamais être trop stricte avec soi-même. Et ne pas refuser de se faire plaisir. C'est le meilleur moyen pour être à l'écoute de son corps. Il vous envoie des signaux. Vous avez fourni un gros effort ? Vous avez faim, c'est normal, il faut manger. Ce dont vous avez besoin, ni plus ni moins. Vous n'avez pas faim ? Inutile de passer à table pour un repas complet, de vous resservir pour faire plaisir, ou de terminer votre assiette pour être polie. Mangez léger, ou buvez simplement un bon jus de fruits.

Si le message est brouillé (certaines femmes, à force de faire des régimes et de se priver, ne connaissent plus leurs besoins), les points d'acupuncture peuvent aider à régulariser l'appétit : ils stimulent le fonctionnement des enzymes digestives et normalisent la sécrétion gastrique.

Entre vingt et trente ans, les modifications de l'appétit sont fréquentes. Anorexie, boulimie, ces troubles très féminins frappent deux Françaises sur cent. Si vous vous sentez touchée, n'hésitez pas à consulter, car ces maladies se soignent mieux quand elles sont prises en charge à leur début par un personnel compétent. Mais, plus communément, les jeunes femmes souffrent de... grignotage incontrôlé ! La nervosité, le stress poussent à grappiller ici et là un bonbon, un biscuit, un carré de chocolat...

Dans tous ces cas, la médecine traditionnelle chinoise apporte une aide précieuse. Différents points d'acupuncture jouent un rôle dans la régulation de l'appétit. Il suffit de les masser plusieurs fois par jour pour obtenir de bons résultats.

Les brûlures d'estomac

Les sensations de brûlure et les remontées d'acidité dans l'œsophage sont assez fréquentes à cette période de la vie. Et c'est facile à comprendre. Le stress, l'alimentation qui n'est pas régulière, souvent trop acide et trop grasse, la consommation fréquente de *fast-foods* fragilisent la muqueuse de l'estomac. De plus, une petite instabilité hormonale peut accentuer les maux d'estomac. Les hormones féminines, tels les œstrogènes, freinent la sécrétion gastrique, et leur déficit, même transitoire, entraîne une hypersécrétion des sucs gastriques et des brûlures d'estomac.

Baisse des défenses immunitaires, infections respiratoires, cystites, mycoses : le coupable est le même

Pour la médecine traditionnelle chinoise, de nombreux maux découlent de la même origine. Parlons des troubles les plus fréquents dans la vingtaine : les cystites, les maux de ventre, les mycoses, les allergies. Aussi surprenant que cela paraisse, ils ont souvent les mêmes causes, et donc le même traitement.

Rétablir sa flore intestinale et réduire les laitages sont la solution. La raison en est simple : l'industrialisation de la nourriture et l'introduction de substances chimiques dans quasiment tous les produits ont un réel impact sur la santé. Dans le temps, le lait était acheté au jour le jour. Il fallait le consommer rapidement, car il tournait dans les vingt-quatre heures.

À l'heure actuelle, on peut remplir un plein Caddie de packs de lait et stocker ces réserves pendant deux ou trois mois, et cela grâce à la pasteurisation et au procédé UHT (upérisation à ultra-haute température). On découpe chimiquement les molécules, les enzymes, on ajoute des conservateurs… Certes, ces procédés de conservation ont simplifié la vie quotidienne et ont rendu les intoxications avec des produits avariés moins fréquentes. Mais leur inconvénient est de rendre globalement la nourriture plus acide. Or, dans un milieu acide, la flore intestinale ne peut pas sécréter ses immunoglobulines A, qui protègent les muqueuses respiratoires et digestives (principaux facteurs de défense). C'est un peu comme si le lait chimiquement traité brûlait la flore indispensable à nos défenses. Nous luttons moins bien contre les virus, les allergènes, les champignons.

Donc, plus souvent qu'autrefois, nous enchaînons les rhumes, les sinusites, les allergies, les mycoses… Ces parasites sont aussi à la source de certains troubles – ballonnements, constipation ou diarrhée – dont souffrent très souvent les jeunes femmes.

Les cystites

Toutes les femmes, ou presque, ont souffert à un moment de leur vie d'une envie incontrôlable d'uriner, de douleurs et de brûlures lors de la miction : ce sont les signes d'une cystite. Pourquoi cette infection de la vessie est-elle si fréquente ? Tout est une question d'anatomie. Chez la femme, les voies génitales et l'anus sont tout proches de l'urètre, ce petit canal de trois ou quatre centimètres qui permet à l'urine de s'écouler au sortir de la vessie. Ce voisinage favorise la migration des germes intestinaux et vaginaux, qui infectent le conduit urinaire.

Un corps qui a déjà beaucoup donné...

Pendant les années d'adolescence, la structure et la posture du corps, la mise en place du rythme hormonal, l'affirmation de la personnalité ont transformé la petite fille en jeune femme. Il est tout à fait normal que le corps, qui a fourni beaucoup d'efforts, soit fatigué. Le dos peut se voûter. Le stress, l'émotivité due aux désordres hormonaux font le reste. Sans oublier l'effet d'un déséquilibre hormonal sur les disques intervertébraux qui, comme nous l'avons vu, aboutit à une irritation des terminaisons nerveuses. Ainsi, les maux de dos sont fréquents à cette période, d'autant plus incompréhensibles pour certaines qu'elles pensent être au sommet de leur forme.

La stimulation des points d'acupuncture peut rééquilibrer le fond hormonal, ce qui aidera à se sentir plus apaisée émotionnellement et nerveusement. La stimulation régulière par massage et réchauffement de ces points vitaux permet d'équilibrer la sécrétion des hormones et d'assurer une tension musculaire harmonieuse. C'est très efficace pour prévenir et neutraliser la plupart des problèmes de cet âge : mal de dos, acné, troubles des règles… En deux à trois mois, les symptômes pathologiques doivent disparaître.

Les problèmes de peau

Acné et hormones sont liées. Or il est fréquent qu'à vingt ans la production d'hormones sexuelles ne soit pas encore tout à fait équilibrée. Rien d'étonnant donc à ce que certaines femmes ne soient pas encore débarrassées de leurs petits boutons d'acné.

Un léger déséquilibre hormonal peut entraîner une peau plus grasse et moins résistante vis-à-vis des bactéries de l'environnement. Il ne faut pas oublier que l'air n'est pas stérile, mais plein de bactéries contre lesquelles la peau doit offrir un rempart. Un déséquilibre hormonal peut empêcher ce filtre de fonctionner comme il faut. Lors de la puberté, la production d'hormones sexuelles a stimulé les glandes sébacées, sécrétant du sébum en excès qui s'écoule par les pores. Il peut arriver que le sébum encombre le petit canal qui l'excrète et bouche le pore, offrant aux bactéries un milieu idéal pour se développer. L'inflammation et l'infection donnent naissance à des boutons d'acné. Pour s'en débarrasser, un traitement local ne suffit pas. Il faut s'attaquer à la cause, la sécrétion des hormones que l'on doit réguler.

Des boutons, un teint brouillé sont le signe d'un déséquilibre hormonal qui empêche la peau de jouer ce rôle de rempart. Il faut les considérer comme un signal d'alarme.

Les problèmes de règles

Règles douloureuses, maux de tête, seins tendus, envie de pleurer, hyperémotivité avant ou pendant les règles… Tous ces symptômes sont également le signe d'un petit déséquilibre hormonal. Voilà ce qui se produit dans le corps : les ovaires sécrètent deux types d'hormones, les œstrogènes dans la première partie du cycle (en général, les quatorze premiers jours), puis la progestérone dans la seconde partie du cycle. Ces deux hormones doivent circuler à des taux très précis dans le sang. Quand l'équilibre est menacé, ce n'est que très rarement parce que les ovaires produisent l'une ou l'autre hormone en trop grande quantité. C'est plutôt du côté de l'élimination qu'il faut chercher. La progestérone, soluble dans l'eau, est naturellement éliminée par les urines. Tandis que les œstrogènes, qui sont des hormones stéroïdiennes et ont donc une forme chimique plus complexe, ne peuvent être évacués tels quels, sous leur forme chimique d'origine. Pour être éliminés, ils doivent se conjuguer aux enzymes hépatiques et à la flore intestinale. Quand le foie ne fait pas vraiment son travail ou quand la flore intestinale est fragilisée, les œstrogènes continuent donc de s'accumuler dans le sang. Ce qui aboutit à un excès relatif d'œstrogènes ou hyperœstrogénie, qui se manifeste par les signes du syndrome prémenstruel : irritabilité, sautes d'humeur, rétention d'eau, gonflement et sensibilité des seins, mais aussi apparition de maux préexistants tels que la migraine par exemple pour les femmes ayant un terrain migraineux. Heureusement, ce trouble est facile à normaliser en stimulant les points d'acupuncture [2].

La contraception

C'est une question de la première importance, compte tenu, comme nous l'avons vu, des multiples influences des hormones sexuelles sur l'organisme.

La contraception orale, au moins tant que le cycle n'est pas tout à fait régularisé, n'est pas souhaitable. Toutes les pilules contiennent en effet des hormones sexuelles : œstrogènes et/ou progestérone, qui vont circuler dans le sang. Du coup, le centre de commande des hormones, situé dans le cerveau (exactement dans l'hypothalamus et l'hypophyse), qui détecte le taux élevé de ces hormones dans le sang apportées par la pilule contraceptive, impose immédiatement aux ovaires d'arrêter leur production. Les ovaires se mettent alors en *stand-by*. Ils n'ovulent plus (c'est évidemment le but de la contraception), mais peuvent aussi, à la longue et chez certaines femmes, diminuer de volume. Il est toujours à craindre qu'une prise précoce de pilule contraceptive ne perturbe la fécondité future.

D'autre part, les hormones contraceptives ont des effets secondaires, notamment sur la circulation du sang. Elles sont parfois désastreuses sur la circulation dans les jambes, peuvent provoquer des migraines et avoir un impact sur la vascularisation du cerveau. Maintenant, les dangers du cocktail nicotine et pilule ne sont plus à démontrer [3]. Il accroît de manière certaine le risque d'accident vasculaire.

La contraception locale est à conseiller à celles qui n'ont pas encore une vie sentimentale installée. Le préservatif est une barrière indispensable contre les infections sexuellement transmissibles. Il est aussi très utile comme moyen contraceptif.

Mais, pour être plus sûre d'être protégée d'une grossesse, en cas de rupture possible du préservatif, on peut aussi se faire poser un stérilet, qui ne contient pas d'hormones. Les recommandations ont évolué. On sait qu'il ne présente pas de risques pour les femmes qui n'ont pas eu d'enfants. Ce moyen de contraception, très sûr, met à l'abri des oublis fréquents sous pilule.

Des mauvaises habitudes auxquelles il faut faire attention

La vingtaine est l'âge où l'on se sent jeune – on l'est ! –, tonique et en bonne santé... C'est une expérience formidable de sentir que l'on peut récupérer facilement de toutes sortes d'expériences ! Que l'on peut « tenir » pendant longtemps malgré une hygiène de vie incertaine. C'est encore le moment où l'on aime faire de nouvelles expériences, où l'on commence à avoir besoin, dans certains cas, d'un « remontant », d'une béquille pour affronter les difficultés. Il ne faut pourtant pas perdre de vue que l'on a entre les mains sa santé future. En effet, des bonnes habitudes d'aujourd'hui dépend la longévité. Si l'on observe quelques règles simples, il n'y a pas de raison de ne pas conserver la forme très, très longtemps !

Le tabac

Même en connaissant les méfaits du tabac (la nicotine fatigue, accroît le stress, asphyxie le cerveau, encrasse les poumons, abaisse les défenses immunitaires, abîme la peau, favorise le cancer), les Françaises fument de plus en plus jeunes, parfois même dès le collège. Une fois la nicotine entrée dans le métabolisme, il est difficile d'arrêter. Si vous êtes motivée, la stimulation des points d'acupuncture peut vous aider à vous débarrasser de la cigarette en resensibilisant les récepteurs des cellules nerveuses saturées par la nicotine.

Les conseils pratiques pour se libérer du tabac se trouvent en annexes.

L'alcool

L'alcool détruit le système nerveux central, détériore la mémoire, la concentration, il fatigue, et il est source de dramatiques accidents de la route. Même à faible dose, il a une forte action toxique sur le foie. Il est donc préférable d'en consommer le moins souvent possible.

Vous pouvez consulter les conseils pratiques en annexes pour limiter les effets néfastes de l'alcool.

Les drogues

Quand on est jeune, on se sent invulnérable ! Et l'on aime goûter à tout, tenter toutes les aventures, découvrir par tous les moyens, légaux et illégaux, les plaisirs de la vie. Aujourd'hui, les drogues, dont le cannabis, sont à portée de main. D'autant plus que leurs vertus « relaxantes » les désignent naturellement comme un tranquillisant possible face aux angoisses de la jeunesse devant un futur incertain.

Je me souviens de Françoise, une jeune peintre de vingt-six ans qui avait remporté plusieurs fois des prix de jeunes artistes. Elle est venue me consulter, en secret de sa famille, car, depuis un an, elle souffrait de fortes pertes de mémoire, de crises d'angoisse terribles, de poussées de violence et parfois d'hallucinations. Elle m'a confié assez rapidement que ces soucis avaient commencé un an après qu'elle avait consommé pour la première fois du haschich, dans une soirée dans son école d'art. L'effet relaxant du produit l'avait tout de suite accrochée, et elle avait pris l'habitude de fumer régulièrement, plusieurs joints par jour. Pourtant, depuis peu, l'effet n'était plus du tout le même. Les crises d'angoisse devenaient plus aiguës, et elle avait commencé à boire un peu d'alcool pour se calmer. Se sentant déraper, elle venait demander de l'aide…

Il est avéré que toutes les drogues – y compris les drogues dites douces – détruisent le système nerveux central et peuvent provoquer des psychoses, comme la schizophrénie [4].

Le cannabis a une action destructrice sur le système nerveux, car il bloque les récepteurs opioïdes qui normalement reçoivent les opioïdes internes (les endorphines et les enképhalines) sécrétés naturellement pour régulariser la sensibilité de l'organisme vis-à-vis de la douleur ou pour normaliser l'humeur. Le cannabis délivrant des doses beaucoup plus élevées d'opioïdes, les récepteurs deviennent rapidement insensibles aux doses beaucoup plus minimes délivrées naturellement par l'organisme. Résultat : le seuil de sensibilité s'abaisse, rendant plus vulnérable aux agressions psychologiques. On a moins de répondant face à la douleur. L'émotivité est « à fleur de peau ». Le moindre message de l'extérieur prenant des proportions inadéquates, il est fréquent de devenir agressif.

Il faut réagir bien avant d'en arriver là ! En prenant en compte les symptômes tout au début, les traitements marchent toujours mieux. On peut s'adresser à des centres spécialisés, mais l'acupuncture peut aider à se détacher de ces produits nocifs, si on agit précocement (voir les solutions pratiques en annexes).

Conseils pratiques

Le plus important, pendant ces années où tout semble ouvert, c'est d'avoir conscience que l'avenir se prépare le plus tôt possible. Commencer à prendre de bonnes habitudes, c'est autant de temps gagné pour le futur.

De la vitamine E, tous les jours

La meilleure des armes, pour conserver beauté et santé, c'est la vitamine E, très précieuse pour les femmes à tous les âges. On la trouve dans les huiles (d'olive, d'arachide, de tournesol ou de colza), mais aussi dans les fruits oléagineux (cacahuètes, amandes et noisettes), les poissons gras (thon, saumon), le foie. Tous ces aliments ont un fort pouvoir antivieillissement sur l'ensemble de l'organisme.

La vitamine E protège en outre des toxiques présents en quantité de plus en plus importante dans notre alimentation moderne.

Ses actions

La vitamine E est un antioxydant[5]. Cela signifie qu'elle aide à se débarrasser des radicaux libres, des déchets cellulaires très destructeurs pour nos cellules puisqu'ils peuvent s'attaquer aux membranes cellulaires, et même à la structure de notre ADN, qui porte notre patrimoine génétique. Voilà pourquoi la vitamine E – ainsi que d'autres antioxydants comme les vitamines C, A, ou le sélénium par exemple – ralentit le vieillissement et surtout le développement de lésions ou de dommages cellulaires, protège les artères contre l'athérosclérose (blocage des artères) et ne permet pas la formation du « mauvais » cholestérol, c'est-à-dire les fractions du cholestérol oxydé qui sont à la base des plaques qui recouvrent les artères.

Plutôt que de parler de « bon » et de « mauvais » cholestérol, on devrait parler de cholestérol oxydé ou non. Seul l'oxygéné est néfaste, car il adhère à la paroi des vaisseaux, et en s'accumulant forme une plaque qui peut obstruer l'artère, alors que, non oxygéné, le cholestérol est éliminé par les enzymes hépatiques.

La vitamine E nourrit aussi la peau, assure ses défenses immunitaires et l'aide à se protéger contre les infections dues aux attaques de virus et de microbes, responsables entre autres des boutons d'acné.

Elle stimule les ovaires et la production d'hormones féminines, œstrogènes et progestérone. Tout le système génital et reproductif en bénéficie. Elle favorise l'ovulation et donc la fécondation. Elle améliore la qualité de l'endomètre, cette muqueuse qui tapisse l'utérus, et favorise la bonne implantation de l'œuf.

En dehors de la grossesse, la vitamine E régularise le cycle féminin, assure des règles non douloureuses, car elle favorise l'équilibre entre les œstrogènes et la progestérone – qui, sans elle, s'oxydent très rapidement. Les médecins le constatent, les femmes qui prennent de la vitamine E ont une vie reproductive plus longue.

Plusieurs travaux scientifiques ont prouvé que la prise de suppléments alimentaires de cette vitamine protège contre le cancer du sein, prévient les cataractes, le développement des arthroses et des maladies cardio-vasculaires, normalise le métabolisme des lipides, le fonctionnement du foie, aide à éliminer le cholestérol et même améliore l'évolution des maladies chroniques, comme le diabète [5].

La bonne dose

Il est indispensable de ne pas négliger les apports par la nourriture elle-même.

La source principale de vitamine E, c'est l'huile d'arachide, que j'ai coutume d'appeler pour cette raison « l'huile des femmes ». Deux cuillerées à soupe, dans une salade, une fois par jour, constituent une bonne base pour gonfler un peu vos apports. Grignotez en plus régulièrement des amandes et mangez des poissons gras.

Elle se trouve aussi dans le foie – le foie de veau, de volaille (d'où les recettes des babouchkas qui les utilisent beaucoup), le foie gras. Les recherches modernes ont prouvé que ces coutumes traditionnelles avaient un grand intérêt. À la surprise de tous les scientifiques, la prise de foie gras fait diminuer le cholestérol [6].

Mais, selon de nombreuses études, l'industrialisation de la nourriture, les méthodes de culture, la conservation des aliments, tout comme les habitudes alimentaires ne permettent pas de faire le plein de vitamine E [7]. La quasi-totalité de la population ne reçoit pas l'apport nécessaire à l'organisme.

Je conseille donc à toutes les femmes de faire des cures de vitamine E en gélules (en choisissant de préférence de la vitamine E naturelle, en vente dans les pharmacies, parapharmacies, magasins bio). L'organisme éliminant cette vitamine via les intestins, on ne risque ni le stockage ni l'hypervitaminose.

Il est inutile d'en prendre de grandes quantités que l'on éliminerait systématiquement. La dose préconisée se situe entre 125 et 200 mg par jour, à prendre un mois sur deux.

Pour une belle peau

« On ne met rien sur sa peau que l'on ne puisse avaler. » Voilà ce que disait un de mes professeurs. En effet, tout produit posé sur l'épiderme pénètre, à travers la peau, dans le sang et dans tout le corps. Les scientifiques ont même retrouvé, dans le liquide amniotique de femmes enceintes, des composants des crèmes qu'elles utilisaient pour leur peau[8]. Mieux vaut donc éviter le plus possible l'abus des conservateurs, qui viennent s'ajouter aux toxiques que nous absorbons par les aliments souvent traités par des produits chimiques. C'est pourquoi l'usage de produits biologiques est intéressant. On évite ainsi des produits très toxiques, tels que les parabens, qui servent de conservateurs et que l'industrie a trop tendance à inclure dans la fabrication des produits de beauté.

S'adapter à un nouveau rythme de vie : l'éleuthérocoque, remède en or...

Cette plante aide l'organisme à trouver des ressources pour faire face aux changements brusques de situation. Sa racine renferme des éleuthérosides, molécules qui lui confèrent des qualités « adaptogènes », particulièrement efficaces chez les femmes. Les cosmonautes russes l'ont utilisée pour mieux s'adapter à l'espace. Et les athlètes, eux, consomment sa racine pour augmenter leur résistance physique et améliorer leur récupération après l'effort. Ma mère, qui était médecin et chercheur, a travaillé sur les vertus de cette plante dans son laboratoire de Vladivostok. Elle a montré, par une série d'expériences concluantes, quelles sont ses vertus, en étudiant ses effets sur la résistance des souris face à une épreuve. Dans l'eau, une souris obligée de nager s'épuise au bout de cinq minutes environ. En revanche, après une injection de l'extrait de cette plante, elle peut résister jusqu'à une heure.

Cette plante, qui pousse en abondance en Sibérie, dans certaines provinces de Chine et de Corée, se trouve en pharmacie et dans les magasins de diététique.

L'ÉLEUTHÉROCOQUE, CARTE D'IDENTITÉ

Cet arbuste est de la même famille (araliacées) que le ginseng, mais d'un genre botanique différent.

Nom commun : éleuthérocoque, ginseng de Sibérie.

Nom botanique : *Eleutherococcus senticosus*.

Parties utilisées : la racine et, plus rarement, les feuilles.

Origine : Sibérie et nord de la Chine.

Ses vertus

- Tonifie l'organisme en cas de fatigue, de faiblesse, lorsque la capacité de travail et de concentration diminue ou durant une convalescence.
- Stimule les défenses immunitaires, combat la fatigue et le stress, augmente la mémoire et le bien-être général.

Posologie

En infusion : laisser infuser de 2 à 4 g de racine séchée dans 150 ml d'eau bouillante. Boire une ou deux tasses par jour.

En capsules ou en comprimés : prendre de 0,5 à 4 g de poudre de racine séchée par jour, en deux ou trois doses.

On recommande généralement de faire toutes les six à douze semaines une pause d'une ou deux semaines.

Contre-indications

La Commission européenne recommande d'éviter de prendre de l'éleuthérocoque en cas de tension artérielle élevée. La plante est également déconseillée aux enfants de moins de douze ans ainsi qu'aux femmes enceintes et à celles qui allaitent.

Faire face au stress des examens

Le stress est par lui-même un super dopant, il permet de mobiliser toutes les forces de l'organisme face au danger. Le lapin court trois fois plus vite quand il y a un loup derrière ! Le mécanisme est simple : grâce au jet d'hormones des glandes surrénales dans le sang – de la cortisone, de l'adrénaline et de la noradrénaline –, le cœur bat plus vite, propulse plus de sang dans la circulation, les récepteurs nerveux captent plus d'énergie, tout le corps fonctionne au maximum de ses perfor-

LES POINTS À STIMULER
POUR ÉVITER LA PANIQUE DU STRESS

Ils sont tous faciles d'accès, ce qui représente un avantage indéniable, car on peut répéter l'opération plusieurs fois dans la journée. Pour stimuler la mémoire et la concentration, et calmer le trac, il faut frotter en spirale, dans le sens des aiguilles d'une montre, pendant une ou deux minutes :

▶ Le point « Cour de l'esprit » *(shenting)*, qui se trouve sur la ligne médiane du front, juste derrière la ligne d'implantation des cheveux.

▶ Le point « Porte d'esprit » *(shenmen)*, situé à l'intérieur de chaque poignet, sur le pli du poignet, au niveau du petit doigt.

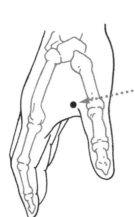

▶ Le point « Gueule de tigre » *(hegu)*, sur chaque main, dans l'espace entre la première et la deuxième articulation métacarpienne (entre le pouce et l'index).

LE MASSAGE DU VENTRE

Se masser le ventre dans le sens des aiguilles d'une montre en partant du nombril permet de se détendre et de défaire le nœud émotionnel que le stress provoque dans l'estomac.

mances. Le système immunitaire est aussi stimulé. On ne tombe jamais malade pendant la bataille ou lors d'un examen. Le danger, c'est après. Le travail de l'organisme est en « surcharge », l'épuise et, après le stress, on subit souvent un contrecoup : fatigue générale ou maladie, qui surviennent au début des vacances.

En revanche, la panique et la peur enlèvent le bon côté du stress. Elles font perdre ses moyens, ralentissent l'esprit et la mémoire. Les Chinois anciens disaient : « La peur affaiblit les reins » – les glandes surrénales n'arrivent plus à assurer l'effort. Dans ce cas, des points d'acupuncture assurent un dopage naturel et permettent au corps de donner le maximum de lui-même, de mobiliser toutes ses forces et ses réserves pour assumer l'effort, sans être épuisé après. Ils empêchent aussi la panique. Une publication récente montre que les sportifs chinois, lors des jeux Olympiques, ont tous eu recours à un

QUELQUES EXERCICES

Un art ancien de la tradition chinoise, le *qi gong* –*qi*, « énergie », *gong*, « travail » –, enseigne quelques exercices simples pour retrouver son sang-froid. La respiration abdominale est la base de tout. Les Chinois disaient que nous avons deux cerveaux : l'un dans la tête, l'autre dans le ventre. Ces postulats empiriques trouvent actuellement leur explication scientifique : dans les intestins se situent les mêmes neurohormones que dans le système nerveux central [9]. Chaque stress émotionnel provoque des tensions dans les muscles de l'abdomen, et les petites contractures que l'on accumule d'une année à l'autre vont empêcher la libre circulation des organes et du diaphragme. Cela peut provoquer un inconfort, ainsi que des problèmes digestifs et respiratoires. Pour les prévenir, l'exercice le plus simple est la respiration abdominale, conseillée par tous les anciens enseignements.

En inspirant, on gonfle le ventre, comme un ballon, en expirant, on vide l'air, en rentrant le ventre au point qu'il « touche la colonne vertébrale ». Cet exercice permet d'assouplir la paroi abdominale et le diaphragme et d'effacer les effets néfastes du stress.

Pour qu'ils soient efficaces, il faut répéter ces mouvements trente-six fois le matin et vingt-huit fois le soir (autant dire de nombreuses fois !) chaque jour. Au moment des émotions fortes, quelques mouvements suffisent.

DES VITAMINES ET DES OLIGOÉLÉMENTS

Pour faire face à tous les efforts que l'organisme doit fournir, et pour combler les déficits dus à une alimentation déséquilibrée très fréquente à cet âge, il est indispensable de faire des cures de polyvitamines et d'oligoéléments (en vente en pharmacie). Le soufre, le magnésium, le silicium et le calcium renforcent le squelette.

« dopage d'acupuncture » : une stimulation physiologique, bénéfique à l'organisme, autorisée par toutes les organisations de la santé [10]. Leurs cent médailles en témoignent.

Le coup de pouce des vitamines

Les vitamines B et le phosphore aident à la concentration et à la mémorisation. Comme toutes les vitamines, le mieux est de les trouver dans son alimentation. Pour les vitamines B, on saupoudrera de la levure (en vente dans les magasins diététiques) sur les salades ou dans les yaourts. Le pain complet en contient également. Pour le phosphore, poisson au menu une fois par jour !

Retrouver le calme

Certaines tisanes y sont propices : avant de dormir, on boira une décoction de plantes aux vertus calmantes : camomille, valériane, passiflore ou mélisse…

De nouvelles habitudes alimentaires

Une étude récente a montré que le laitage et le sucre favorisent la formation des boutons d'acné [11]. Encore une bonne raison d'abandonner les mauvaises habitudes alimentaires datant de l'adolescence.

Il faut absolument, cependant, éviter le déficit en calcium dont les os pourraient pâtir. Il est présent naturellement dans les laitages, mais n'est pas absorbé par les intestins dans le milieu acide créé par les conservateurs ajoutés aux produits laitiers. Il est donc important de l'absorber sous forme de complément alimentaire (en vente en pharmacie). Complété par du silice, les résultats seront encore meilleurs, car il facilite la fixation du calcium.

LES POINTS À STIMULER POUR RÉGULARISER L'APPÉTIT

Masser ces points aide à régulariser l'appétit, en luttant aussi bien contre le manque d'appétit que contre les pulsions boulimiques et les tentations de grignotage. Ces points servent également en cas de brûlures d'estomac, car ils stimulent le fonctionnement des enzymes digestives et régularisent les sécrétions gastriques [12].

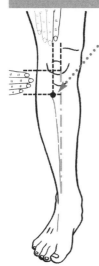

▶ Les deux points symétriques « Trois distances de la jambe » ou « Point de l'énergie vitale » *(zusanli)*, qui se trouvent à quatre travers de doigt au-dessous du genou (à l'endroit où s'arrêtent les petites rugosités de la peau) et à un travers de doigt vers l'extérieur.

▶ Les deux points symétriques « Grand éclat » *(taibai)*, qui se trouvent sur le côté du pied, à la base du gros orteil, juste au-dessous de l'articulation proéminente.

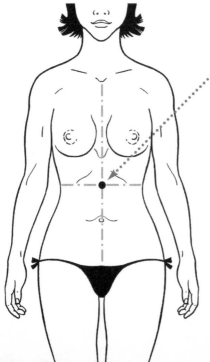

▶ Le point « Milieu de l'estomac » *(zhongwan)*, qui se trouve sur la ligne médiane de l'abdomen, à mi-distance entre le nombril et l'appendice osseux qui termine le sternum, à masser dans le sens des aiguilles d'une montre, à chaque fois qu'un petit creux se fait sentir.

Et, pour apaiser et calmer les émotions qui poussent à manger :

► Le point « Porte d'esprit » *(shenmen)*, situé à l'intérieur de chaque poignet, sur le pli du poignet, au niveau du petit doigt.

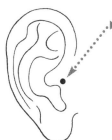

► Sur l'oreille, le très célèbre « Point de l'appétit » se situe en avant du lobe, juste au milieu du tragus. Stimulez-le avec une pointe de stylo le plus souvent possible.

Il faut masser ces points dans le sens des aiguilles d'une montre, plusieurs fois dans la journée, pendant trois minutes.

Les plantes indiquées

Des tisanes calmantes peuvent être un excellent complément : la camomille et la valériane qui calment les émotions, la passiflore et la mélisse qui aident à la digestion. L'argile blanche est un excellent pansement gastrique naturel.

Équilibrer la flore intestinale pour renforcer les défenses immunitaires

Dans ce contexte, compte tenu des ajouts chimiques dans notre nourriture (conservateurs, agents de texture...) et de l'environnement, il faut trouver des « antidotes » : les compléments nutritionnels, qui aident l'organisme à se protéger contre les dommages provoqués par les agressions qu'il subit. Comme on

CHOISIR SES PRODUITS, LES PRÉPARER...

Les produits chimiques (conservateurs ou pesticides) ajoutés aux produits alimentaires modifient leurs vertus. Ces conservateurs et pesticides pulvérisés sur les fruits ou les légumes sont nocifs pour le système immunitaire. Pour les éliminer de l'organisme, le corps sécrète des anticorps, qui, lorsqu'ils sont en trop grand nombre, se retournent contre nos propres tissus en les prenant pour des corps étrangers. C'est pour cela que nous voyons augmenter les maladies auto-immunes comme les problèmes de thyroïde (voir p. 141 et 161). Comme il n'est pas possible, pour des raisons pratiques et économiques, de s'alimenter uniquement de produits « bio », voici mes conseils : épluchez autant que vous le pouvez les fruits et les légumes. Quand c'est impossible, lavez-les soigneusement. Ne comptez pas sur la cuisson à ébullition. Certes, vous ferez disparaître les pesticides dans l'eau de cuisson, mais les vitamines suivront le même chemin !

l'a vu, les conservateurs industriels apportent de l'acidité dans les voies digestives, et ainsi abîment la flore intestinale. Il faut donc absorber des « antidotes », c'est-à-dire des compléments alimentaires, capables de restaurer la flore intestinale. Rien de tel que les cures de vitamines et de probiotiques en gélules pour restaurer des défenses immunitaires mises à mal par la vie moderne.

Cystites et mycoses

Les plantes indiquées

Le grand responsable de la cystite est en général un colibacille (son nom est évocateur : « coli », il habite dans le côlon). Pour éviter les récidives, comme nous l'avons vu plus haut, commencez avant tout par prendre des probiotiques pour reconstituer la flore intestinale.

En cas de crise de cystite aiguë, il ne faut prendre aucun médicament sans avis médical. Le médecin prescrira une analyse d'urines et un antibiogramme, examens qui permettront de déterminer le germe en cause et l'antibiotique qui convient.

Il est très intéressant de demander, en complément, un aromatogramme. Cet examen est pratiqué sur ordonnance, par un laboratoire d'analyses médicales. C'est l'équivalent en phytothérapie de l'antibiogramme. Il permet de déterminer à quelle plante les germes sont sensibles. Une fois la crise apaisée par les médicaments antibiotiques, on peut alors enchaîner sur une cure d'huiles essentielles.

QUE SONT LES PROBIOTIQUES ?

Le système digestif est peuplé de flore intestinale, essentielle pour bien digérer, synthétiser certaines vitamines (la K, la B12), et assurer la défense de l'organisme (les trois quarts des cellules immunitaires se trouvent dans l'intestin) contre les virus, les microbes et les produits toxiques. En effet, c'est la flore intestinale qui produit les immunoglobines A, qui couvrent la muqueuse des voies digestives, mais aussi respiratoires, et servent de barrière à tous les facteurs infectieux ou toxiques qui se trouvent dans l'air ou dans la nourriture. Un défaut de la flore intestinale est souvent à l'origine de la baisse des défenses immunitaires, des infections respiratoires à répétition, mais aussi des infections digestives et urinaires. On sait depuis peu que des petites bactéries, les probiotiques, présents dans les aliments fermentés, sont capables, justement, de renforcer cette flore intestinale.

Normalement, ces probiotiques devraient se trouver dans les yaourts et tous les laitages fermentés. Mais ces produits étant aujourd'hui industrialisés et transformés pour mieux se conserver, les probiotiques disparaissent.

Où les trouver ? Soit dans le lait et les yaourts fermentés frais et naturels, soit en complément alimentaire.

La bonne dose : une gélule chaque matin (en vente dans les magasins diététiques et en pharmacie).

En l'absence d'aromatogramme, il existe une solution : deux ou trois gouttes d'huile essentielle de cannelle de Chine ou de Ceylan, deux puissants bactéricides, versées dans un grand verre d'eau tiède, à boire matin et soir, feront l'affaire.

Dans tous les cas, il est recommandé de faire suivre le même traitement à son partenaire. Cela évitera un fâcheux va-et-vient des microbes !

DE L'EAU ET DE L'AIR PURS

Les tissus de notre corps sont constitués à 90 % d'eau. Le jour comme la nuit, au repos ou à l'effort, l'organisme utilise ces réserves en eau. Ces dépenses augmentent avec la chaleur ambiante ou en cas de fièvre, mais aussi lors d'efforts physiques. L'eau est utilisée par le métabolisme et ces pertes peuvent passer par la transpiration ou le souffle (l'air expiré contient 10 % d'eau), les urines ou les éliminations intestinales. Il est important de les compenser tout au long de la journée afin de maintenir une hydratation suffisante. Aujourd'hui, on entend dire cela un peu partout, mais on n'y pense pas toujours... On considère qu'il faut boire l'équivalent de son poids divisé par 35. Si on pèse 70 kg, on doit boire deux litres d'eau par jour.

Toutes les eaux minérales sont bonnes à boire si on en change souvent. L'eau de source, peu riche en minéraux, est parfaite aussi. Mais mieux vaut éviter l'eau du robinet, car elle contient des métaux lourds, accusés de jouer un rôle dans les cancers du rein surtout, mais aussi dans les cancers du poumon, de la thyroïde et du foie.

Pour éviter de charrier des bouteilles d'eau, il est possible de se munir d'un dispositif très simple, et qui s'adapte à tous les robinets : un système de filtre (ce type de dispositif se trouve dans les magasins d'électroménager ou encore dans les magasins de produits biologiques) qui protège des métaux lourds présents dans l'eau de la ville. On peut ainsi, tout au long de la journée, boire une eau pure, et l'utiliser pour faire café et thé.

Quant à l'air, il n'est pas toujours facile, malheureusement, d'éviter la pollution, surtout lorsque l'on habite dans les grandes villes. On limite toutefois les problèmes en aérant son appartement tôt le matin et en prenant garde à la pollution intérieure (peintures de mauvaise qualité, utilisation de produits ménagers trop agressifs...).

La canneberge

Boire beaucoup permet d'éliminer les germes. De l'eau, mais aussi du jus de canneberge. Les Américaines consomment depuis longtemps ces petites baies rouges (*cranberries* en anglais) au goût acidulé pour éviter les infections urinaires. La France commence seulement à les découvrir.

La canneberge est importée depuis quelques années et l'Agence de sécurité sanitaire des aliments vient de reconnaître ses vertus. On trouve facilement du jus de canneberge dans certaines grandes surfaces, les grandes épiceries et tous les magasins diététiques.

Éviter les récidives

En cas de cystites à répétition, il faut faire pendant deux ou trois mois chaque année, en plus d'une cure de probiotiques, une cure d'extrait de busserole, de bruyère ou de marjolaine (deux gouttes dans un verre d'eau), choisies pour leur effet bactéricide. Ou encore utiliser quelques gouttes de *Melaleuca*, une plante efficace aussi dans les infections vaginales. Toutes ces plantes sont en vente dans les pharmacies herboristerie.

Les mycoses

Les mycoses vaginales sont fréquentes. Comme nous l'avons vu plus haut, notre mode de vie et notre alimentation « acidifient » l'organisme. Et un milieu trop acide favorise la prolifération des germes, et des champignons en particulier. Cette affection n'est pas grave, mais il faut la soigner rapidement. La consultation d'un médecin afin d'obtenir un traitement local pour soi et son partenaire est nécessaire.

Pour éviter les récidives, il faut rétablir le pH de la flore vaginale. On versera deux cuillerées à soupe de bicarbonate de sodium (en vente en pharmacie et dans les supermarchés) dans l'eau du bain : le bicarbonate réduit l'acidité de la flore vaginale, et les mycoses ne peuvent proliférer en milieu non acide.

Problèmes de règles

L'alimentation

Le syndrome prémenstruel est lié à une hyperœstrogénie en seconde partie de cycle, due à une mauvaise élimination des œstrogènes par le foie. C'est pourquoi la solution passe également ment par un allègement de la tâche de ce dernier dans la

ANGELICA SINENSIS, CARTE D'IDENTITÉ

Elle est souvent surnommée le « ginseng de la femme » en raison de sa tonicité.

Nom commun : angélique chinoise.

Nom botanique : *Angelica sinensis.*

Partie utilisée : la racine.

Origine : Chine, Corée et Japon.

Ses vertus

- Atténue les troubles prémenstruels et menstruels.
- Soulage les spasmes utérins.
- Améliore la circulation du sang dans les ovaires et l'utérus.

Posologie

La plante est rarement utilisée seule. Elle est présente dans des préparations en vente dans les boutiques de produits naturels.

Dosage

Une gélule par jour.

Contre-indications

La plante ayant une action œstrogénique, on la déconseille aux patientes ayant souffert d'un cancer du sein.

seconde partie du cycle ; il s'agit de consommer très peu d'alcool, moins de café, moins de graisses. Une alimentation légère va faciliter la digestion et avoir des effets presque immédiats sur le fonctionnement du foie.

La plante indiquée

Les Chinois et les Japonais se servent de l'angélique chinoise pour traiter de nombreux troubles féminins. La pharmacopée occidentale l'a découverte plus récemment. Cette plante, qui contient un peu de phyto-œstrogènes, normalise le cycle menstruel, facilite les grossesses et supprime les tensions des reins.

Les oligoéléments qui donnent le moral

Le lithium et le magnésium en Oligosol (petites ampoules) améliorent l'humeur. À avaler deux fois par jour les derniers quinze jours du cycle. On peut y ajouter, toujours dans la seconde partie du cycle, des progestatifs naturels comme l'onagre ou le yam (une gélule par jour). En cas d'hyperémotivité, qui se traduit par exemple par des larmes montant facilement aux yeux, on peut alterner ces oligoéléments avec une cure d'oméga 3, dont on pense sérieusement qu'ils ont un effet antidépresseur [13].

Des règles trop abondantes

La plupart des facteurs de coagulation du sang sont sécrétés par le foie. Ainsi, la même alimentation légère dans la seconde partie du cycle est recommandée. Les règles hémorragiques favorisent la fuite du fer sanguin, avec pour conséquences des risques d'anémie et de fatigue. En une période où les femmes se plaignent déjà de sensation d'épuisement, il ne suffit pas de

LES POINTS À STIMULER
CONTRE LES PROBLÈMES DE RÈGLES

Règles douloureuses, maux de tête, seins tendus, envie de pleurer, hyper-émotivité avant ou pendant les règles...

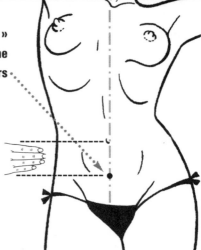

► Le point « Ouverture de la source » *(guanyuan)*, qui se trouve sur la ligne médiane du bas-ventre, à quatre travers de doigt au-dessous du nombril.

► Matin et soir, réchauffez les deux points symétriques « Réunion des trois *yin* » *(sanyinjiao)*, sur la face interne du mollet, à trois travers de doigt au-dessus du point le plus proéminent de la malléole interne.

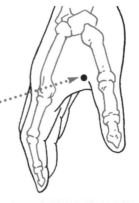

► Le point « Gueule de tigre » *(hegu)*, sur chaque main, dans l'espace entre la première et la deuxième articulation métacarpienne (entre le pouce et l'index).

se supplémenter en fer pour résoudre le problème, d'autant plus que le fer peut déclencher des maux de ventre et une constipation. Et surtout, pris seul, il fuit directement via les intestins. Il faut noter que seulement 10 % du fer alimentaire (contenu dans le boudin, le foie, le persil, les pommes vertes…) passe effectivement dans le sang. Car, pour être absorbé par les cellules sanguines, il a besoin de vitamine B12. La solution pour bénéficier des bienfaits du fer consiste en un cocktail complet de vitamines B contenu naturellement dans la levure de bière. Prenez par exemple une dosette de fer (moins agressive pour les intestins que les comprimés) et trois gélules de levure de bière chaque jour.

LES POINTS À STIMULER
POUR NORMALISER LE FLUX SANGUIN

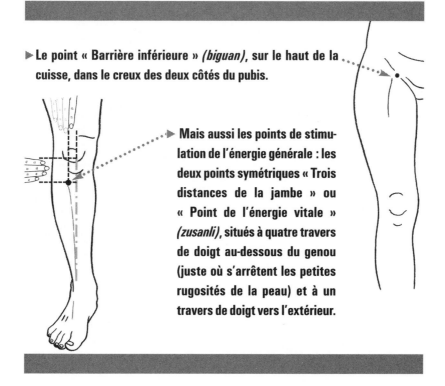

▶ Le point « Barrière inférieure » *(biguan)*, sur le haut de la cuisse, dans le creux des deux côtés du pubis.

▶ Mais aussi les points de stimulation de l'énergie générale : les deux points symétriques « Trois distances de la jambe » ou « Point de l'énergie vitale » *(zusanli)*, situés à quatre travers de doigt au-dessous du genou (juste où s'arrêtent les petites rugosités de la peau) et à un travers de doigt vers l'extérieur.

LES POINTS À STIMULER POUR RÉGULARISER LE FOND HORMONAL

Nous l'avons vu, les déséquilibres des hormones sexuelles ont de multiples retentissements sur le corps. Massez ces points dans le sens des aiguilles d'une montre pendant deux ou trois minutes, de préférence tous les jours.

▶ Les deux points symétriques « Réunion des trois *yin* » *(sanyinjiao)*, sur la face interne du mollet, à trois travers de doigt au-dessus du point le plus proéminent de la malléole interne.

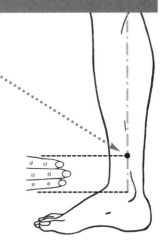

▶ Le point « Réunion des cent » *(baihui)*, en agissant directement sur l'hypophyse, stimule la régulation centrale du fonctionnement des glandes sexuelles et rééquilibre les sécrétions hormonales. Il se trouve au sommet du crâne, juste au milieu de la ligne qui relie le sommet des pavillons des oreilles.
Réchauffez ce point tous les jours de préférence, et pendant plusieurs mois.

Maux de dos

DEUX PRÉCAUTIONS À PRENDRE

Le travail sur ordinateur est souvent source de douleurs à cause de mauvaises positions. Apprenez à vous servir des deux mains pour cliquer sur la souris. Et alternez, un jour la main droite, un jour la main gauche. Cet exercice peut éviter par exemple une tendinite du coude ou de l'épaule. Autre source de douleurs : les sacs que l'on emporte partout et dans lesquels on a tendance à mettre trop de choses : pour épargner le dos, un sac ne devrait pas peser plus de deux kilos.

LES POINTS À STIMULER POUR ASSOUPLIR LES MUSCLES DU DOS ET FAVORISER LE REDRESSEMENT DE LA COLONNE VERTÉBRALE

▶ Les deux points symétriques « Grand courant » *(taixi)*, qui se trouvent sur la face interne de la cheville, dans la dépression juste derrière la proéminence de la malléole interne.

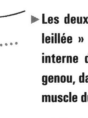

▶ Les deux points « Source de la colline enso- leillée » *(yinlingquan)*, à masser sur la face interne de la jambe, un peu au-dessous du genou, dans le creux entre la tête du tibia et le muscle du mollet.

À retenir

Entre vingt et trente ans, la vie est intense : aux niveaux biologique et physique tout comme dans le quotidien, de grands bouleversements interviennent. Cela tombe bien, on a l'énergie nécessaire pour tout affronter. Même si on a parfois l'impression de faire les « montagnes russes » (un jour, on se sent capable de gravir des montagnes et, le lendemain, on est épuisé), on est au sommet de sa forme. Il faut simplement veiller à régler les petits désordres hormonaux susceptibles de fatiguer et commencer à prendre de bonnes habitudes alimentaires, pour éviter les infections en tout genre et préserver l'énergie.

LES BONS GESTES

Le matin, prenez :

- un comprimé d'éleuthérocoque ;
- une gélule de vitamine E (un mois sur deux) ;
- un comprimé de probiotiques.

Et mangez beaucoup de fruits et légumes.

30 à 40 ans
L'âge de
l'accomplissement

Trente ans, c'est le bel âge, celui de l'accomplissement.

À trente ans, on s'est épanouie, et on se sent au sommet de sa forme. Les doutes et les errements de la jeunesse sont derrière. Les (bons) choix sont faits. Que l'on soit en couple ou non, on se connaît mieux, on sait ce que l'on veut. C'est la période où l'on a envie de construire, peut-être d'avoir un enfant, si ce n'est déjà fait.

Professionnellement, on endosse plus de responsabilités. L'expérience, alliée à l'énergie, fait des miracles. Et si le rythme de travail est soutenu, cela n'empêche pas de sortir, de se cultiver, de profiter de ses amis… On joue sur tous les tableaux. C'est une vie trépidante, exaltante, pleine.

Biologiquement, les tourmentes de la décennie précédente sont passées. Les hormones sont normalement équilibrées.

Mais il faut garder en tête une chose fondamentale : c'est un marathon qui débute, et non un sprint ! On doit préserver son souffle.

À partir de trente ans, il faut commencer à prendre de saines habitudes pour entretenir son corps. C'est le bon fonctionnement de l'organisme qui sera le garant de la liberté : on pourra alors entreprendre ce dont on a envie.

À SURVEILLER

- les maux liés au stress, les insomnies ;
- la fatigue ;
- les migraines ;
- les allergies.

Deux points demandent la plus grande vigilance : les petits maux de la suractivité et du stress – fatigue, migraines, premières douleurs cervicales – et les déséquilibres possibles de la vie hormonale, qui peuvent se manifester par des troubles du cycle, peut-être des difficultés à concevoir un premier enfant. Heureusement, il existe des solutions simples pour éviter ou corriger ces troubles.

Le but est de maintenir ou de restaurer les forces vitales pour profiter au maximum de cette heureuse période de la vie.

À trente ans, on est au sommet de ses possibilités, mais il faut faire attention à ne pas trop tirer sur la corde. Selon l'héritage familial, le « terrain », comme disent les acupuncteurs, on peut développer certains troubles.

Le stress chronique

Le stress est le premier de ces maux, qui en conditionne bien d'autres.

Famille, vie de couple, travail, sorties… Dans une société qui pousse à mener de front toutes les activités, n'importe quoi semble bon pour « tenir ». Le stress, dans cette perspective, est un merveilleux moteur, qui pousse à aller de l'avant. Il aiguillonne, aide à se dépasser… jusqu'à un certain point – c'est-à-dire ses propres limites. Car le stress, à trop forte dose, peut aussi se transformer en vampire d'énergie. Les petits retards, les contraintes hiérarchiques, les inquiétudes ou les angoisses liées aux aléas de la vie professionnelle et personnelle, bref, les contrariétés grandes ou petites, quand elles se répètent, érodent le système nerveux et épuisent les défenses. Un organisme trop sollicité finit par craquer, les défenses immunitaires s'effondrent, le moral aussi.

Nous ne sommes pas tous également vulnérables au stress. Certains sont plus fragiles que d'autres. La confiance en ses propres ressources, la capacité à positiver, à trouver des ajustements face aux agressions jouent un rôle mesurable. Mais nous pouvons tous apprendre et appliquer d'efficaces stratégies. En effet, il existe des moyens de se protéger et de mieux résister aux surcharges psychologiques ou physiques.

LA VIE À CENT À L'HEURE

Je n'ai jamais pu me passer de soigner. L'hôpital, les patients, voilà ce qui m'intéresse. Je suppose que c'est ce que l'on appelle une vocation ! Pourtant, au tout début de ma carrière en France, je ne pouvais exercer comme médecin car je n'avais pas encore obtenu tous mes diplômes français. Alors, j'ai choisi de travailler dans le laboratoire d'analyse d'un hôpital. J'assurais les gardes du soir aux urgences. Chaque nuit, nous pouvions analyser une cinquantaine de prélèvements de sang, et réaliser autant d'analyses d'urines. Il fallait être rapide, attentif, précis, car « une vie humaine en dépendait », comme me disaient mes professeurs. Au petit matin, sitôt l'équipe de jour arrivée, je filais en voiture vers un labo universitaire, à l'autre bout de la ville, pour poursuivre ma recherche sur les opioïdes internes et les cellules cancéreuses. Je voulais savoir si ces opioïdes internes, ceux qui sont stimulés par l'acupuncture, pouvaient intervenir sur nos propres défenses pour les aider à lutter contre la prolifération des cellules tumorales. Bref, j'enchaînais les deux jobs sans pouvoir fermer l'œil une petite heure. Pour stimuler mon éveil, vite, je plantais cinq aiguilles au-dessus de mon crâne, autour du point « Réunion des cent », et hop ! je prenais le volant. Jusqu'au jour où la police m'a arrêtée parce que je passais à l'orange. Pour une Russe, être arrêtée par la police, c'était risquer le goulag ! J'étais terrorisée, la peur me donnait de grands yeux, comme on dit dans mon pays. Mais quand le policier m'a demandé mes papiers, j'ai vu ses yeux devenir encore plus grands que les miens. À cause de l'étonnement, bien sûr, de me voir ainsi cheveux en bataille, cinq aiguilles bien verticales au sommet du crâne ! Il a dû penser à un fakir, à une Martienne, à une sorcière, à une folle. « En fait, je suis médecin acupuncteur », ai-je expliqué en lui donnant dans la foulée moult détails sur ma pratique. En prime, j'ai fait un diagnostic de sa santé en lisant dans le pavillon de son oreille. Je suis tombée pile, détectant même son genou cassé dix ans auparavant. Épaté, abasourdi, et j'espère converti pour toujours à mon art, il m'a laissée partir sans me mettre d'amende. Le point « Réunion des cent » m'avait sauvé la mise !

Le stress a des implications dans des domaines aussi différents que le sommeil, la digestion, la vulnérabilité face aux attaques microbiennes et le développement des allergies.

Un mauvais sommeil

Pas d'équilibre physique ou psychologique sans un bon sommeil. Pendant la nuit, les neurones se rechargent pour assurer l'énergie, la mémoire, la concentration dont on a besoin pendant la journée. Une nuit de sept heures doit suffire à récupérer. À moins que l'on ne fasse partie de ces rares exceptions, comme Einstein ou Napoléon, qui étaient doués d'un sommeil paradoxal de si bonne qualité qu'ils n'avaient besoin que de quatre heures de repos. À l'inverse, il faut savoir que dormir beaucoup, dix heures par nuit, n'est pas un signe de santé. Ceux qui dorment trop pâtissent d'une mauvaise qualité de sommeil, émaillé de multiples microréveils nocturnes. Bien dormir, c'est avoir un sommeil suffisant dans la durée, mais aussi un sommeil de bonne qualité.

Pour cela, il est important de soigner tout particulièrement son endormissement. Attention, la mélatonine, le chef d'orchestre de la merveilleuse mécanique du sommeil, l'hormone qui donne le *la* et indique qu'il est temps de s'endormir, n'est sécrétée par l'hypophyse qu'avant 11 heures du soir. Et sa durée de vie n'est que de trois secondes ! On comprendra qu'après ce « *pulse* », il est beaucoup plus difficile de trouver un endormissement paisible. Heureusement, tirer le maximum de son sommeil est un art qui s'apprend. Inutile de mettre en place des rites très compliqués, se préparer au sommeil relève des règles élémentaires de l'hygiène de vie : dormir au calme, dans une chambre peu chauffée...

Le stress peut empêcher cet endormissement, voire causer des réveils nocturnes. La fatigue qui s'ensuit fait entrer dans un cercle vicieux...

L'ÂGE DU PREMIER BILAN

C'est le moment de faire un premier check-up complet : cholestérol, triglycérides, sucre, fer, dosage des hormones thyroïdiennes, et première mammographie – surtout si on prend des hormones contraceptives ou si des ascendants directs ou des collatéraux (mère, tante, sœur) ont été touchées par cette maladie. Sans oublier le frottis vaginal, une fois par an. Je conseille aussi une coloscopie à quarante ans s'il y a des cancers digestifs dans la famille.

La fatigue

À vingt ans, les capacités de récupération étaient presque sans limites. Après une nuit à faire la fête, on enchaînait sans problème, au petit matin, avec une journée de travail. Je me souviens très bien qu'avant trente ans, les nuits de garde se succédaient sans le moindre signe de fatigue. Quelques heures de sommeil et je repartais ! À partir de trente ans, il en va autrement. Il est normal de se demander de temps en temps comment tenir le rythme que la vie impose. Quand on se sent fatigué, on peut se remémorer le proverbe chinois : « Il est inutile de fouetter le cheval fatigué, il ne galopera pas plus vite. Mieux vaut le nourrir. » La fatigue est un symptôme d'épuisement nerveux, mental et physique. Le seul remède efficace est de recharger les batteries.

Il existe plusieurs manifestations de la fatigue, qui ont autant de significations différentes.

Si l'on se sent épuisé dès le matin, avant même d'avoir fourni un effort, il faut consulter un médecin qui découvrira l'origine de cette fatigue.

Un déséquilibre hormonal peut déclencher une sensation d'épuisement avant les règles. Des migraines à répétition, des maux de ventre et toutes les douleurs chroniques mobilisent aussi l'organisme. Dans ce cas, la fatigue est un signal d'alarme, un peu comme les voyants d'une voiture dont le moteur est déréglé. Il suffit d'effectuer quelques réparations pour éviter la surchauffe. Une fois la cause soignée, la fatigue disparaîtra.

Il va de soi que l'on ne peut prendre en charge seul – avec l'aide de plantes, de points d'acupuncture, en faisant attention à son hygiène de vie – que de l'épuisement lié à une surcharge d'activités. Le but est alors d'augmenter les capacités de résistance ; comme si on était dans la peau d'un sportif de haut niveau qui doit assurer un effort supplémentaire pendant l'entraînement et la compétition.

Les maux de tête

Les maux de tête (migraines et autres) sont très fréquents chez les jeunes femmes. Les crises peuvent prendre différentes formes, qui sont chacune le signe d'un dérèglement spécifique – on ne parle ici, bien évidemment, que des maux de tête fonctionnels, et non des douleurs anatomiques qui peuvent être dues à une tumeur.

Les causes fonctionnelles sont multiples :
– certains maux de tête dépendent étroitement du cycle menstruel et signalent un dérèglement hormonal ;
– un mauvais fonctionnement du foie et de la vésicule biliaire (dont la cause peut être le stress) peut aussi être à l'origine de maux de tête. La bile, trop visqueuse, provoque alors des spasmes des vaisseaux. Dans ce cas, la douleur est souvent ophtalmique ;
– l'arthrose cervicale, en provoquant une circulation irrégulière du sang dans le cerveau, provoque des douleurs situées généralement dans l'arrière du crâne ;
– une tension trop haute ou trop basse provoque les mêmes effets ;

– enfin, des problèmes ophtalmiques tels que les glaucomes (pression du sang trop importante dans l'œil, qui aboutit à une détérioration du nerf optique) ne sont pas à écarter.

Pour lutter efficacement contre ces maux, il faut être capable de les cerner, de les comprendre. Au fur et à mesure, on apprendra à se connaître et à prévenir ces troubles. Comme avaient coutume de dire les Chinois, « un mauvais médecin voit les symptômes et les soulage, un bon médecin trouve la cause de la maladie et la guérit, un excellent médecin décèle les fragilités de l'organisme et prévient la maladie ».

La peau

Les radicaux libres sont les ennemis de la beauté. Produits par l'énergie des cellules qui pour fonctionner ont besoin d'oxygène, ce sont des déchets qui encombrent tout l'organisme et favorisent le vieillissement. Aider l'organisme à éliminer ces déchets est primordial pour préparer l'avenir. J'ai coutume de dire qu'une femme qui, dès le plus jeune âge, a entretenu sa peau et ses défenses immunitaires n'aura pas besoin de penser au Botox ou au collagène à la cinquantaine !

Miroir, ô mon miroir… La peau est jeune et belle et, pourtant, on guette les premières rides, s'approchant, l'œil rond, de ce miroir qui ne laisse rien passer… Décidément nous sommes toutes les mêmes ! À force de chercher, on finit par trouver : des petits plis, prémices de rides. Ils sont dus au léger relâchement des muscles situés sous la peau, qui la tendent, comme on tend le linge pour le repasser, et à l'amincissement du derme. Pour stimuler la souplesse et l'élasticité des muscles – tension de la peau –, le massage des points d'acupuncture locaux est très efficace. Les enfants n'ont pas de rides car leurs muscles sont souples. Grâce aux points d'acupuncture, les impératrices chinoises n'avaient pas de rides, même à des âges très avancés, alors que les femmes du peuple étaient ridées comme des pommes séchées.

En ce qui concerne les boutons, le problème doit normalement être réglé. La production d'hormones est en effet régulée, la peau doit donc être resplendissante. Si ce n'est pas le cas, un bilan hormonal s'impose.

Sinusites, rhinites, allergies et eczéma

Il ne faut pas oublier que la peau, comme les poumons, est en relation permanente avec l'environnement. Appartenant au même méridien, peau et voies respiratoires représentent deux barrières contre les agressions extérieures et peuvent être sensibles, avec des manifestations différentes, aux mêmes causes. On peut ainsi faire des liens entre les manifestations allergiques qui touchent la peau, comme l'eczéma par exemple, et les atteintes de la sphère ORL, comme les sinusites à répétition, ou encore les rhinites, les bronchites et même l'asthme.

Les Chinois avaient coutume de dire : « Les intestins protègent les poumons. » La flore intestinale, en effet, joue un rôle fondamental dans l'efficacité du système immunitaire. Qu'elle soit mise à mal, et ce sont nos défenses qui en pâtissent.

Le stress favorise indirectement les allergies. Il excite la vésicule biliaire via le nerf vague, la voie nerveuse la plus longue, qui part du tronc cérébral, puis descend vers le cœur (d'où les palpitations au moment du stress) et aboutit au niveau des voies biliaires. Or la bile trop abondante et trop acide détruit la flore intestinale. Les allergies qui s'ensuivent sont liées au fait que la flore intestinale, quand elle fonctionne normalement, détruit les agents allergènes cachés dans les aliments et ne leur permet pas de pénétrer dans le circuit sanguin à travers la paroi des intestins. Si elle fait défaut, plaques, rougeurs et autres manifestations allergiques apparaissent, comme les signes de l'eczéma cutané.

Cela nous explique sûrement pourquoi, à cause de nos conditions de vie modernes, les allergies connaissent une véritable explosion. Les adultes qui souffrent d'eczéma en ont souvent été victimes enfants. Les plaques, les démangeaisons réapparaissent à la faveur d'une séparation, d'un surplus de travail, d'un déménagement. Ou à cause d'un patron trop exigeant !

Les travaux scientifiques ont démontré une nette amélioration des facteurs immunitaires après des émotions positives, comme un câlin ou une tétée donnée à son bébé [1].

D'autres facteurs sont à considérer.

La pollution, par exemple. La plupart d'entre nous habitent ou travaillent dans des villes dont l'air est saturé de particules extrêmement agressives. Cela fragilise les muqueuses et les rend plus sensibles à la moindre agression microbienne.

L'alimentation, enfin, doit également être prise en compte. Parce que l'on nous a répété que le lait était « bon pour la croissance » lorsque nous étions enfants, nous avons pris l'habitude d'avaler trop de laitages (voir le chapitre « 20 à 30 ans »). Or les produits laitiers d'aujourd'hui n'ont plus grand-chose à voir avec ceux d'hier. Leur mode de conservation les rend trop acides, ce qui détruit la flore intestinale et favorise l'inflammation des muqueuses.

Conseils pratiques

De la vitamine E, encore et toujours

Les radicaux libres sont à combattre dès que possible. Nous l'avons vu, en encombrant l'organisme, ils favorisent le vieillissement.

On a fait la connaissance de la vitamine E à vingt ans, quand je conseillais de la prendre en complément tous les jours. C'est le moment de continuer. La vitamine E, à trente ans, c'est le secret de jouvence.

Non seulement sa propre action antioxydante est très puissante, mais elle protège aussi de la destruction rapide d'autres antioxydants, plus fragiles, comme les oméga 3 ou le sélénium. En leur assurant une vie plus longue, elle leur permet d'agir en synergie avec elle pour augmenter leur efficacité.

En plus, elle stimule les ovaires et la production d'hormones féminines, œstrogènes et progestérone. Elle favorise l'ovulation, la fécondation, l'implantation de l'œuf. En outre, c'est aussi une crème de soin formidable.

La qualité et la beauté de la peau et des cheveux dépendent aussi du cycle hormonal. Quand le taux d'hormones est déséquilibré, la peau devient sèche et rugueuse et les cheveux sont cassants.

Comme nous l'avons mentionné, plusieurs travaux scientifiques ont prouvé que la prise de vitamine E protège contre le cancer du sein, prévient les cataractes, le développement des

LE MASSAGE DES SEINS

Massez vos seins pour faire circuler la lymphe. Déjà, en Chine, les taoïstes avaient coutume de dire : « À partir de l'âge de treize ans, les filles doivent tous les jours masser leurs seins à travers la soie. Trente-six fois vers l'extérieur, vingt-huit vers l'intérieur. » Trente-six est sans doute un chiffre magique. Contentons-nous de dire un bon nombre de fois. C'est une habitude facile à prendre, sous la douche ou quand on applique sa crème hydratante. Assez rapidement, les seins sont moins tendus et moins douloureux avant les règles. On les prépare également, ainsi, à la lactation.

arthroses et des maladies cardio-vasculaires, normalise le métabolisme des lipides, le fonctionnement du foie, aide à éliminer le cholestérol et même améliore l'évolution des maladies chroniques, comme le diabète [2].

Il faut opter pour l'huile d'arachide, bourrée de vitamine E – c'est d'ailleurs pour cette raison que j'ai coutume de l'appeler « l'huile des femmes ». Et augmenter sa ration de poissons gras comme le thon, le saumon, le maquereau et les sardines, qui contiennent, en plus, des oméga 3.

Bien sûr, comme la nourriture industrielle ne permet pas de trouver toute la ration nécessaire, il est bon de se supplémenter à raison de 125 à 200 mg par jour un mois sur deux. L'idéal est de prendre chaque jour un cocktail de polyvitamines contenant de la vitamine A, de la vitamine C, du sélénium et des oméga 3.

Une belle peau

Les recettes d'antan pour soigner sa peau reviennent à la mode. Cela me rappelle de jolis souvenirs.

Autrefois, en Russie, les babouchkas recommandaient aux jeunes femmes : « Quand tu prépares la salade russe, mets chaque ingrédient sur ta peau : l'huile, le kéfir, le fromage blanc, la peau du cornichon… »

Même ma mère, qui était une scientifique, ne dérogeait pas à ces principes et mêlait volontiers rituels de beauté et art culinaire. Au sortir de l'hiver, lorsque sa peau était desséchée par le froid rigoureux de Leningrad, elle se rendait régulièrement au marché pour faire ses provisions de gros cornichons de printemps, ceux qui sont de la même famille que les concombres. Elle séparait ses provisions en deux parts. L'une pour la salade, l'autre pour le visage. Elle coupait les cornichons finement en rondelles et en faisait un masque qu'elle gardait sur le visage pour hydrater sa peau, disait-elle. Est-ce grâce aux cornichons russes qu'aujourd'hui encore, à soixante-douze ans, elle n'a toujours pas une ride ? Peut-être…

LES TROIS MASQUES DE BEAUTÉ DES BABOUCHKAS

Au concombre

Pelez quelques tranches de concombre, écrasez-les (ou râpez-les), ajoutez une cuillerée à café d'huile d'amande douce et une dizaine de goutte de jus de citron. Appliquez sur le visage et le cou. Allongez-vous pendant vingt minutes. Nettoyez le masque avec un coton humidifié d'eau de rose. Appliquez votre crème habituelle.

À l'œuf et à l'avoine

Battez un jaune d'œuf avec deux cuillères à café d'avoine jusqu'à obtenir une pâte bien homogène. Appliquez sur le visage, allongez-vous pendant vingt minutes, puis rincez à l'eau tiède. Appliquez votre crème habituelle.

À l'œuf, à l'huile d'olive et au citron

Battez un jaune d'œuf, le jus d'un demi-citron et une cuillère à café d'huile d'olive. Appliquez sur le visage, allongez-vous pendant vingt minutes, puis rincez à l'eau tiède. Appliquez votre crème habituelle. Ce masque convient mieux aux peaux grasses.

FAUT-IL ADOPTER LA COSMÉTIQUE BIO ?

L'un de mes vieux professeurs me disait toujours : « Ne mettez rien sur votre peau que vous ne puissiez avaler. »

C'est en vertu de ce principe que je suis devenue une inconditionnelle de la cosmétique bio. On évite ainsi de surcharger son organisme en conservateurs, déjà présents dans tellement d'aliments. Cela ne signifie pas pour autant que les cosmétiques bio sont à ingérer.

Des crèmes plus riches pour la peau

Le léger relâchement des muscles situés sous la peau et l'amincissement du derme sont donc à l'origine de ces petits plis, prémices des rides. Pour faire face, il ne faut pas perdre de vue que l'épiderme, avec les années, est simplement devenu un peu plus gourmand. Il ne faut pas lui refuser les aliments dont il a besoin ! Choisissez une crème un peu plus riche en substances constituantes de la peau, comme l'élastine ou le collagène.

De la levure pour les cheveux

Les femmes manquent fréquemment de vitamines du groupe B, indispensables à la peau et aux cheveux. La meilleure source de vitamine B, c'est la levure de bière. Je recommande d'en prendre trois gélules ou comprimés par jour, au printemps. C'est la saison où l'on change de peau, comme les serpents : les anciennes cellules desquament, les couches de l'épiderme se renouvellent. C'est aussi au printemps que l'on perd ses cheveux, car on manque de vitamines après un hiver pauvre en fruits et légumes.

Du soleil pour le moral

Contrairement à beaucoup, je crois aux vertus du soleil et je ne conseillerai jamais de s'en protéger à tout prix. Une graine ne peut pousser sans lumière, nous ne nous épanouissons pas non plus sans elle. Qu'elle manque, et notre humeur devient morose. La fatigue et la déprime nous gagnent. Alors, il faut profiter du moindre rayon. C'est excellent pour le moral, mais aussi pour les os. Le soleil permet à la peau de synthétiser la vitamine D, elle-même indispensable à la fixation du calcium sur les os.

Alors, sortez, marchez au soleil, installez-vous en terrasse. L'essentiel est évidemment de ne pas vous brûler la peau. Ne pas s'exposer aux heures chaudes, se protéger d'une crème ou d'un vêtement quand le soleil est au zénith font partie du B.A. BA.

Du sport, encore du sport...

On ne le dira jamais assez : il faut bouger !

Dans la trentaine, on est en pleine possession de ses forces physiques et de son énergie. On peut pratiquer n'importe quel sport. Cependant, la Power Plate doit être utilisée avec précaution. Cette machine propose de remodeler la silhouette, en vibrant pour contracter les muscles. Or de nombreuses femmes, à la suite de séances sur cette machine, se plaignent de migraines, de maux de dos ou de douleurs articulaires. La Power Plate a été inventée pour les cosmonautes qui la pratiquent en apesanteur. Sur la terre ferme, la force de gravité amplifie les microchocs provoqués par les vibrations sur le squelette et risque de déplacer les disques intervertébraux. C'est pourquoi il est préférable de réserver cette mode à l'état d'apesanteur. Néanmoins, un coach expérimenté peut éviter ces conséquences néfastes.

Dépensez-vous, aérez-vous quand il fait beau. L'hiver, fréquentez les salles de gym ou les piscines. L'essentiel, encore une fois, c'est de prendre de bonnes habitudes que l'on gardera toute sa vie. Choisissez les sports en fonction de vos goûts. Et pratiquez avec plaisir et régulièrement, au moins deux fois par semaine : danse, Pilates ou yoga, jogging, aquagym, tennis, bicyclette ou ski... tout vous convient !

Les solutions
pour bien réagir au stress

L'alimentation

En période de surcharge de travail, il faut absolument éviter les excitants. Ils font entrer dans un cercle vicieux. On est stressé, on avale un espresso, et la tension augmente encore. Le résultat, c'est une fatigue supplémentaire.

Stop ! Le café n'est pas une bonne solution. Il procure une fausse – et brève – impression de coup de fouet, mais ne fait qu'aggraver les choses. Il en est de même pour la nicotine, qui accroît le stress. (Voir en annexes les conseils pour arrêter de fumer.)

Les plantes indiquées

On remplacera le café par une tisane à la mélisse, une plante régulatrice du système nerveux. Ou une infusion de camomille, apaisante. Ces boissons permettent de garder « les eaux calmes », comme disent les Chinois. Mon conseil : en préparer un bon litre le matin, le verser dans une Thermos ou une bouteille et le siroter, chaud ou froid, toute la journée.

En cas de réactions physiques au stress comme les palpitations, la transpiration, les maux de tête, il faut prendre une petite gélule de valériane ou d'aubépine. On trouve ces remèdes en pharmacie ou dans les magasins bio. Pour soutenir l'énergie en période de travail plus intensif, on peut ajouter une gélule de ginseng tous les matins.

Mais la plante que je conseille systématiquement, c'est l'éleuthérocoque, en raison de ses vertus « adaptogènes » (voir p. 43). Elle stimule les défenses immunitaires, combat la fatigue et le stress, augmente la mémoire et le bien-être général.

En période de stress, avaler une gélule de cette plante tous les matins.

QUELQUES RECETTES QUI POURRONT VOUS TIRER D'AFFAIRE DANS UNE SITUATION DIFFICILE

▶ Une réunion réclame d'être performant : boire un verre de Coca light, dans lequel on a fait fondre un comprimé de vitamine C effervescent. Avaler en même temps un comprimé d'éleuthérocoque et masser les pointes des glandes surrénales, au niveau du « Point des reins » *(shenshu)*. Ces glandes sécrètent les deux hormones du stress : l'adrénaline et la noradrénaline – ce sont ces hormones qui permettent au lapin de courir à toute vitesse devant le loup ! Mais on n'a pas toujours à éviter de prédateur. À trop en produire, on s'épuise. Pour renouveler les forces, il faut stimuler les glandes surrénales, qui sécrètent, elles, des hormones qui permettent de rééquilibrer l'organisme (comme le cortisol). Masser le bas du dos, juste de chaque côté de la colonne vertébrale, à trois travers de doigt à l'extérieur de l'espace entre la deuxième et la troisième vertèbre lombaire (partez du nombril et faites le tour jusqu'à votre colonne vertébrale, vous tomberez juste entre la deuxième et la troisième vertèbre lombaire). Au niveau du creux : masser, réchauffer ces points. On ressent immédiatement le flux et l'énergie nécessaires pour affronter l'épreuve.

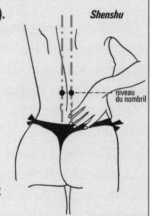

Shenshu

niveau du nombril

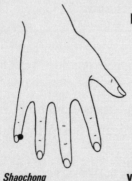

Shaochong

▶ Avant une entrevue stressante, comme un entretien d'embauche : stimuler le point « Moindre assaut » *(shaochong)*, situé juste à l'angle interne de la naissance de l'ongle du petit doigt, en le massant et en le faisant rouler entre le pouce et l'index. Passer de la main gauche à la main droite. Ni vu ni connu, les manifestations du stress telles que maux de ventre, maux de tête, transpiration, tachycardie, contraction du plexus solaire et respiration bloquée se calment. On retrouve son sang-froid.

Les solutions
pour retrouver un bon rythme de sommeil

L'alimentation

Dînez léger et mâchez bien pour faciliter la digestion. Cela tombe sous le sens, il est préférable d'éviter les excitants : café, thé, maté, vin blanc, champagne, si vous y êtes sensible.

Les plantes indiquées

Mettez-vous aux tisanes. Vous avez le choix des saveurs. Alternez ou mariez la valériane, l'aubépine, la passiflore, le tilleul, la verveine, les pétales de pavot de Californie : toutes ces plantes ont des vertus relaxantes.

Ou encore, dégustez bien chaude une eau de fleur d'oranger. Pour une infusion, utilisez les fleurs fraîches, ou de l'eau de fleur d'oranger vendue en pharmacie.

La recette : jetez cinq pétales de fleur ou versez deux cuillerées à soupe d'eau de fleur d'oranger dans 250 ml d'eau bouillante. Laissez infuser dix minutes, filtrez, sucrez avec une petite cuillerée à café de miel et buvez chaud.

De l'oxygène !

Le manque d'oxygène (nécessaire à nos tissus et au bon fonctionnement de toutes nos cellules) est l'une des principales causes d'insomnie.

Quand on s'asphyxie, on dort moins bien. Alors, ventilez vos poumons ! Ouvrez les fenêtres, respirez à fond. Ou, mieux, faites une promenade digestive si cela vous est possible. Couchez-vous dans une chambre fraîche et bien aérée.

LES POINTS À STIMULER AVANT DE VOUS ENDORMIR

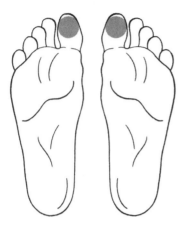

▶ Sous la plante des pieds, vous trouverez la zone apaisant la tension nerveuse sur la face postérieure du gros orteil. Massez ce point avant de vous endormir, la qualité de votre sommeil s'en trouvera grandement améliorée.

▶ Vous pouvez aussi masser le point d'acupuncture « Réunion des cent » *(baihui)*. Il se situe au sommet du crâne, juste au milieu de la ligne qui relie le sommet des pavillons des oreilles.

Les solutions pour retrouver l'énergie

L'alimentation

Avalez le matin au petit déjeuner un bol de flocons d'avoine que vous aurez fait bouillir dans de l'eau pendant cinq minutes (cuits, les flocons d'avoine n'occasionnent pas de ballonnements). Cette céréale est une vraie source de tonus, et pas seulement pour les chevaux !

Toujours au petit déjeuner, dégustez quelques fruits secs et, pour les protéines, un yaourt au soja, un peu de tofu ou, comme les Nordiques, une tranche de saumon fumé.

Et, bien sûr, ma boisson miracle, qui vous apportera chaleur et énergie pour toute la journée : un grand verre d'eau chaude, dans lequel vous ajoutez un jus de citron, une cuillerée de miel et un peu de jus ou de sirop de gingembre.

La plante indiquée

C'est l'éleuthérocoque ! En infusion : laisser infuser de 2 à 4 g de racine séchée dans 150 ml d'eau bouillante. Boire une ou deux tasses par jour. En capsules ou en comprimés : prendre de 0,5 à 4 g de poudre de racine séchée par jour, en deux ou trois doses.

On recommande généralement de faire toutes les six à douze semaines une pause d'une ou deux semaines.

LES POINTS À STIMULER POUR RETROUVER L'ÉNERGIE

Il y a trois mille ans, l'empereur Song, qui régnait sur la Chine, a envoyé chercher l'homme le plus âgé du royaume. Ses émissaires ont ainsi trouvé le paysan Li, âgé de quatre-vingt-dix ans. « Mon secret ? dit-il. Je réchauffe le point *zusanli*. (Cinquante ans plus tard, les Tang avaient remplacé les Song et l'empereur envoya chercher le plus vieil homme du pays. Ils tombèrent encore une fois sur le paysan Li, alors âgé de cent quarante ans, mais toujours vaillant, qui confia à nouveau : « Une fois par mois, quand la lune est pleine, je réchauffe le point *zusanli*. »

Faites comme ce vieux paysan, massez le point *zusanli* (« Trois distances de la jambe » ou « Point de l'énergie vitale »), situé à quatre travers de doigt au-dessous du genou (juste où s'arrêtent les petites rugosités de la peau) et à un travers de doigt vers l'extérieur, si nécessaire tous les matins, il stimule l'énergie en période de surchauffe.

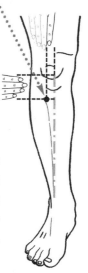

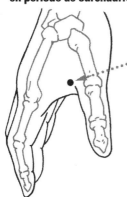

▶ Le point « Gueule de tigre » *(hegu)*, sur chaque main, dans l'espace entre la première et la deuxième articulation métacarpienne (entre le pouce et l'index).

▶ *Si vous devez faire un gros effort intellectuel*, massez aussi le point « Cour de l'esprit » *(shenting)*, qui se trouve sur la ligne médiane du front, juste derrière la ligne d'implantation des cheveux : vous renforcerez vos capacités de concentration.

▶ *Avant une journée marathon ou une compétition*, massez le point « Grandes montagnes » *(chengshan)*, situé sur la partie haute du muscle du mollet. Le réchauffement de ce point accélère la circulation du sang, oxygène les muscles et évite les crampes. Massezle aussi si vous avez un effort sportif à faire, un match de tennis ou une randonnée.

Éviter les crises de migraine

L'alimentation

Existe-t-il une alimentation antimigraine ? Difficile à dire. Même si l'on sait que certains vins blancs, le champagne, les repas trop gras et trop riches sont les bêtes noires de certaines migraineuses.

Quant au café, il aggrave la douleur chez certaines femmes, et en soulage d'autres [3]…

LES POINTS À STIMULER CONTRE LES MAUX DE TÊTE

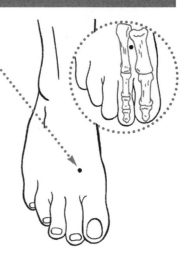

▶ Depuis des siècles, les Chinois savent que masser le point « Grand croisement » *(taichong)* calme les maux de tête et les migraines. Ce point se trouve sur le pied, dans l'espace entre le gros orteil et le deuxième orteil.

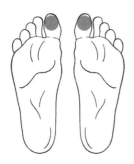

▶ Vous pouvez compléter l'action du « Grand croisement » en réchauffant une zone réflexe qui correspond à la tête, sur chaque pied, sur la face postérieure du gros orteil.

L'HISTOIRE DU POINT *TAICHONG*

Un jour d'été, alors qu'il faisait très chaud, le jeune fermier Lu Bing plantait du riz dans son champ, en plein soleil. Il avait atrocement mal à la tête, mais il devait continuer à travailler pour nourrir sa famille. La douleur était si intense que parfois Lu Bing en perdait la vue. C'est lors d'un de ces éblouissements que le malheureux se donna un coup de charrue sur le pied, entre le premier orteil et le deuxième. Il hurla de douleur, juste avant de se rendre compte que... les maux de tête s'étaient envolés ! À partir de ce jour, quand il souffrait de migraine, Lu Bing appuyait de toutes ses forces entre ses deux orteils. Ce remède miracle se répandit comme une traînée de poudre à travers tout le pays, jusqu'au palais impérial. Si bien qu'un jour, Lu Bing fut mandaté d'urgence pour soulager l'empereur, qui souffrait de terribles céphalées. Ainsi Lu Bing guérit-il l'empereur. « Que puis-je t'offrir comme récompense ? » demanda ce dernier, reconnaissant. Lu Bing vit exaucer ses deux vœux les plus chers. Son point appelé « Grand croisement » fut inscrit dans le livre d'or du palais et son fils, grâce aux subsides versés par le palais, fit de brillantes études de médecine !

Les plantes indiquées

Buvez des tisanes de tilleul. Cette plante est renommée pour soigner les spasmes, les maux de tête et les problèmes digestifs.

Les solutions pour la sphère ORL

L'alimentation

Vous êtes sujette aux inflammations de la sphère ORL ? Arrêtez de consommer des laitages, qui ont, à cause de leur acidité, des effets négatifs sur votre organisme. Quant au gluten, il serait bon de diminuer aussi votre ration. Essayez de manger

QUELQUES EXERCICES

▶ Si vous en avez la possibilité, marchez dans la nature en respirant profondément par le ventre. Grâce à cette bonne oxygénation du cerveau, vous diminuerez la fréquence des crises.

▶ Faites la « spirale » : en pratiquant cet exercice, gardez votre attention sur le plexus solaire, au creux de l'estomac.

En position assise ou debout, les deux mains placées sur l'estomac, regardez devant vous et inspirez, en gonflant le ventre. Puis, en expirant, avec les deux mains, poussez l'estomac vers l'intérieur et le haut. En même temps, tournez lentement le haut du torse, la tête et le regard aussi loin que possible vers la gauche, tandis que le bassin doit se tourner vers la droite. Inspirez et revenez à la position de départ. Relâchez doucement la pression des mains sur l'estomac. Puis faites le même mouvement dans l'autre sens. En expirant, poussez sur l'estomac, et tournez le haut du torse, la tête et le regard le plus loin possible vers la droite, tandis que le bassin doit se tourner vers la gauche. En inspirant, revenez à la position de départ. Répétez l'exercice au moins quatre fois, plus si vous pouvez.

moins de pain, de pâtes, de pâtisseries, de semoule et de tous les aliments préparés qui pourraient contenir de la farine de blé, d'orge, d'avoine ou de seigle. N'oubliez pas de prendre une gélule de probiotiques tous les matins pour renforcer vos défenses immunitaires.

Les plantes indiquées

On sous-estime souvent l'efficacité des fumigations. Mais ce remède de grand-mère est, à mon avis, l'un des meilleurs pour décongestionner les muqueuses et calmer l'inflammation. Verser quelques gouttes d'huiles essentielles de thym, origan, calendula ou eucalyptus (aux vertus aseptisantes) dans un bon bol d'eau bouillante. Rien ne vous empêche de faire votre petit mélange personnel, en mariant deux ou trois de ces plantes dont vous aimez particulièrement le parfum avec une cuillerée de bicarbonate de sodium.

L'eau et le sel, deux alliés 100 % naturels

On ne parlera jamais assez des vertus du sel marin, source de la vie primitive, véritable cocktail de magnésium, calcium, potassium, fer, zinc, cuivre, fluor, iode… Qui dit mieux pour renforcer les défenses immunitaires ? C'est pourquoi l'eau salée est utilisée pour prévenir et soigner les sinusites :

▶ en lavage du nez, diluez un peu de sel dans de l'eau tiède ;
▶ en bain de pieds, à raison d'une bonne poignée de sel dans une eau bien chaude.

Préférez toujours le sel naturel, non raffiné, plus riche en oligo-éléments.

LA FUMIGATION DE FEODOR IVANOVITCH CHALIAPINE

Cet immense chanteur d'opéra, considéré comme la plus grande basse slave de son temps, avait un secret pour conserver sa voix d'or même lorsqu'un refroidissement le menaçait. J'ai connu ce secret grâce à une de mes amies chanteuse.

Dans une casserole d'eau, mettez quatre pommes de terre coupées en quatre dans leur peau. Portez à ébullition, puis ajoutez une cuillère à soupe d'huile d'olive, du miel, un sachet de bicarbonate de soude, une belle gousse d'ail. Faites cuire à feu doux, retirez du feu, puis couvrez-vous la tête d'une serviette et respirez, respirez !

Quelles sont les raisons de l'efficacité de ce remède ? L'amidon des pommes de terre diminue l'œdème des cordes vocales, le bicarbonate détruit l'acidité ennemie des défenses, l'huile d'olive graisse les cordes vocales comme les cordes d'un violon, le miel adoucit la gorge, et l'ail joue à plein son action bactéricide.

LES POINTS À STIMULER POUR DÉCONGESTIONNER LE NEZ

Massez matin et soir les points suivants :

▶ Le point « Accueil des parfums » *(yingxiang)*. Appuyez avec l'index ou l'auriculaire au niveau de l'insertion des ailes du nez.

▶ Le point « Rencontre avec le temple » *(yintang)*, appelé ainsi parce qu'il indique l'endroit du visage avec lequel on touche le sol de la tête, en se prosternant à l'entrée du temple. Vous le trouverez juste au milieu de la ligne qui va d'un sourcil à l'autre.

▶ Le point « Étoile supérieure » *(shangxing)*, qui se trouve à un travers de doigt vers l'arrière à partir du point d'implantation des cheveux, dans un petit creux sur la ligne médiane du front.

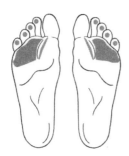

▶ Sur le pied : massez sur la plante des pieds la zone qui correspond aux voies respiratoires hautes et aux bronches.

Les eczémas et les allergies cutanées

L'alimentation

Diminuez les produits laitiers, réduisez vos apports en gluten, mais aussi le chocolat, le café et l'alcool blanc.

Soignez votre flore intestinale : plusieurs recherches ont démontré l'importance des probiotiques (encore eux !) dans la prévention et le traitement des allergies.

Respirez !

Chaque soir, et chaque fois que vous le pouvez dans la journée, respirez profondément par le bas du ventre. Inspirez en gonflant l'abdomen comme un ballon. Expirez lentement en poussant le nombril jusqu'à la colonne vertébrale. Cette respiration est capitale. Ses bienfaits étaient déjà connus des Chinois il y a cinq mille ans. Ils avaient coutume de dire que tout être humain possède deux cerveaux. L'un dans la tête, l'autre dans le ventre. C'est là, au creux de l'abdomen, que toutes les émotions que nous avons ressenties depuis le début de notre vie se superposent, à la manière de couches archéologiques. Au point de former parfois

DES ACTIVITÉS PLAISANTES...

Une étude japonaise a montré que toutes les activités qui engendrent des émotions positives - rire, écouter de la musique douce, échanger des câlins avec ses enfants, embrasser son amoureux - améliorent significativement les tests immunitaires et diminuent les réactions allergiques comme l'eczéma [4]. Les mêmes chercheurs ont étudié l'évolution de cette maladie de peau chez les jeunes mères : celles qui allaitent font moins de crises d'eczéma que celles qui n'allaitent pas.

LES POINTS À STIMULER
CONTRE LES DÉMANGEAISONS

Il a été démontré que l'acupuncture se montrait tout à fait efficace pour soulager les démangeaisons et faire disparaître les traces de l'eczéma sur la peau. Massez ces points par petites rotations :

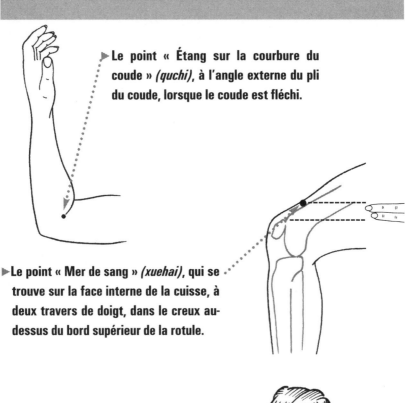

▶Le point « Étang sur la courbure du coude » *(quchi)*, à l'angle externe du pli du coude, lorsque le coude est fléchi.

▶Le point « Mer de sang » *(xuehai)*, qui se trouve sur la face interne de la cuisse, à deux travers de doigt, dans le creux au-dessus du bord supérieur de la rotule.

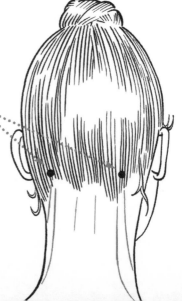

▶Le point « Souffle du vent » *(fengchi)*, qui se trouve dans la dépression juste derrière chaque oreille, entre le cou et la base du crâne.

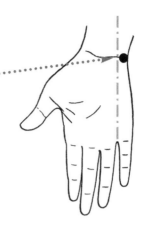

▶ **Mais mon préféré – parce qu'il est si facile à masser discrètement quand quelqu'un vous tape sur les nerfs –, c'est le point « Porte d'esprit »** *(shenmen)*, **situé à l'intérieur de chaque poignet, sur le pli du poignet, au niveau du petit doigt.**

une sorte de nœud qui bloque la libre « respiration » des organes... Aujourd'hui, un très célèbre scientifique, chef du service d'anatomie et de biologie cellulaire de l'université Columbia à New York, Michael Gershon, a confirmé les hypothèses des Chinois. Autour des intestins s'enroulent comme une liane des centaines de terminaisons nerveuses. Ces dernières sécrètent les mêmes neuromédiateurs que le cerveau : adrénaline, noradrénaline... Respirer par le ventre permet de masser tous les organes, de rétablir leur souplesse, de libérer la circulation du sang et des neurohormones [5].

Cette respiration permet aussi d'abaisser notre centre de gravité, qui, avec l'âge, remonte au point de nous déséquilibrer. Adoptez-la et vous resterez mobile très longtemps ! Ou encore, confiez-vous pour quelques séances à un ostéopathe. Il sait par de douces pressions redonner leur liberté à vos organes, qui retrouveront un fonctionnement optimal.

À retenir

Entre trente et quarante ans, c'est l'âge de l'équilibre : équilibre hormonal, stabilisation professionnelle, personnelle… L'organisme est au sommet de ses capacités, à condition de régler les maux liés à la suractivité et d'entretenir ses défenses immunitaires pour lutter contre les agressions extérieures, notamment en prenant de bonnes habitudes alimentaires.

LES BONS GESTES

Tous les matins, prenez :
- une gélule de probiotiques (voir p. 51) ;
- une gélule (150 mg) de vitamine E, un mois sur deux ;
- complétez, si vous le souhaitez, par un cocktail de vitamine A, de vitamine C et de sélénium. Ainsi qu'une capsule d'oméga 3.

Mangez au moins cinq légumes et fruits chaque jour.

Chaque jour :
- massez-vous la plante et le coup de pied pendant deux minutes avant d'enfiler vos chaussures et quand vous les retirez : vous relancerez le flux énergétique ;
- massez pendant deux ou trois minutes deux points d'acupuncture énergisants : le point « Trois distances de la jambe » *(zusanli)* et « Gueule de tigre » *(hegu)* (voir p. 85) ;
- massez vos seins par des mouvements circulaires, « trente-six fois vers l'extérieur et vingt-huit vers l'intérieur », pour faire circuler la lymphe ;
- prenez le rythme ! faites de l'exercice physique régulièrement. Quand vous en aurez l'habitude, vous ne pourrez plus vous en passer.

La grossesse

Le mode de vie moderne a fait reculer de manière importante l'âge de la première grossesse. On veut d'abord finir ses études, s'installer... Quand l'on songe à mettre un enfant en route, selon la contraception que l'on a utilisée, le cycle peut mettre du temps à se régulariser. Une fois enceinte, le corps subit de profonds changements, hormonaux, physiologiques, physiques... auxquels il faut se préparer. Une grossesse, normalement, n'est pas synonyme d'affaiblissement. Deux effets contraires se conjuguent : d'une part, l'énergie de la mère est tournée vers le développement du fœtus, ce qui peut contribuer à une baisse d'énergie, d'autre part, l'arrêt des menstruations rééquilibre cette perte.

La grossesse se divise en trois grandes périodes, trois trimestres, qui correspondent aux grandes évolutions physiologiques. Le premier trimestre est celui des bouleversements, et s'accompagne souvent de nausées, de troubles d'adaptation dus au chamboulement hormonal. Le deuxième trimestre est beaucoup plus calme : en général, c'est le moment le plus agréable de la grossesse, là où la mère et le fœtus semblent avoir atteint le parfait équilibre. Pendant le troisième trimestre, l'organisme se prépare à l'accouchement : le bébé occupe toute la place dans l'utérus et les hormones libérées entraînent parfois certaines douleurs. Mais tous ces troubles peuvent être très facilement soulagés en stimulant certains points d'acupuncture. D'ailleurs, le recours à l'acupuncture fait partie des recommandations récentes de la Haute Autorité de santé en obstétrique.

Depuis trente ans, toutes les études montrent que la médecine traditionnelle chinoise est utile dans la prévention des incidents au cours de la grossesse ainsi que dans le traitement de nombreux troubles : nausée, fatigue, infections urinaires et vaginales... [1] Il est donc important de bien comprendre les différentes étapes de la grossesse, pour ensuite pouvoir réguler soi-même les désagréments susceptibles de survenir.

Mettre toutes les chances de son côté

À attendre trop, on diminue sans doute ses chances d'être enceinte. Ainsi, de plus en plus de jeunes femmes confient avoir des difficultés à tomber enceintes.

La contraception orale joue sûrement un rôle [2]. Les hormones délivrées bloquent le fonctionnement des ovaires et donc l'ovulation. À l'arrêt de la pilule, les ovaires peuvent évidemment se remettre immédiatement à fonctionner. Mais pas chez toutes les femmes. Il faut alors leur donner un coup de pouce.

Je me souviens d'un vieux gynécologue dans le service de gynécologie de l'université de Saint-Pétersbourg. Une jeune patiente souffrait terriblement d'hémorragies lors de ses règles, celles-ci étaient longues et l'épuisaient, d'où son hospitalisation. Le professeur l'a persuadée, doucement, avec toute la conviction de sa longue pratique médicale, de ne pas prendre de pilule hormonale pour arrêter le saignement. Il l'a suppliée de résister, d'attendre, d'essayer tous les autres moyens, dont l'acupuncture. Pour lui, il était grave de donner des hormones à une femme avant sa première grossesse à cause du risque de stérilité.

L'alimentation

Le bon fonctionnement des hormones dépend du contenu de son assiette. Ainsi, des chercheurs ont démontré qu'un manque de vitamine E (présente dans l'huile d'arachide, les germes de blé, les poissons gras, le foie, les amandes) ou d'acide folique (vitamine B9, qu'on trouve dans le lait, les germes de céréales, les abats, les œufs, la plupart des légumes) entravait la bonne qualité de l'ovulation.

Un régime amincissant trop strict, ou au contraire un surpoids nuisent aussi au fonctionnement ovarien. La qualité de l'alimentation peut également modifier le pH des sécrétions génitales [3]. Un excès de graisses, par exemple, rend ces sécrétions plus acides, ce qui entrave le bon cheminement des spermatozoïdes.

Bien vivre sa grossesse

Attendre un bébé n'est pas une maladie ! Il faut, bien sûr, faire surveiller sérieusement sa grossesse, mais sans pour autant sombrer dans l'anxiété. Pendant ces neuf mois, certaines femmes sont naturellement radieuses et épanouies, d'autres accusent le coup, se sentent lourdes et mal dans leur peau. Ces ressentis, probablement dus à des réactions personnelles aux variations hormonales, ne sont guère prévisibles, je l'ai appris au contact des femmes que j'ai rencontrées en travaillant dans plusieurs maternités. Heureusement, ces changements d'humeur n'ont aucun impact sur le bon déroulement de la grossesse et de l'accouchement.

Les trois premiers mois : le charivari

La nidation de l'œuf s'accompagne de grands bouleversements hormonaux. On en paie parfois le prix : nausées, vomissements, crampes, brûlures d'estomac, envie ou dégoût de certains aliments sont généralement à l'ordre du jour. C'est en début de grossesse, pendant ces quelques semaines, que l'hygiène de vie doit être particulièrement bonne, car c'est pendant ce trimestre que se forme le bébé.

Dès le premier jour de la grossesse, il faut arrêter le tabac et l'alcool, responsables de graves malformations neurologiques. (Voir les conseils pratiques pour se libérer de ces addictions en annexes.)

L'appétit peut être entravé par les nausées fréquentes. Il s'agit d'une gêne très connue, la « toxicose de la première partie de la grossesse ». Rien de plus normal : le foie, surchargé par l'inondation hormonale nécessaire à la mise en route de la grossesse ainsi que par les toxiques libérés naturellement par le bébé, a du mal à filtrer le sang. On est en état de crise de foie permanente. Je sais de quoi je parle. Je n'ai pas pu prendre un repas avec ma famille pendant mes trois premiers mois de grossesse tant les odeurs de cuisine me soulevaient le cœur. En revanche, les fruits passaient sans problème. Ainsi, j'ai pris l'habitude de céder à cette gourmandise en croquant des pommes que j'achetais au fil de mes envies.

Il n'y a rien d'alarmant à ne pas prendre de poids pendant toute la première moitié de la grossesse. L'embryon peut se développer

PEUT-ON DÉTERMINER LE SEXE DE SON BÉBÉ ?

L'alimentation peut-elle influencer le sexe de l'enfant à venir ? Difficile de trancher. Mais on peut peut-être espérer orienter la loterie génétique. Prenez ces informations comme un jeu, mettez-vous dans l'idée que les résultats ne seront peut-être pas ceux que vous escomptiez, ce qui ne changera rien à votre bonheur d'avoir un enfant. Selon les Anciens, les garçons se développent plus volontiers dans un milieu acide produit par la consommation de viande et de produits animaux. En revanche, les filles préfèrent un milieu plus alcalin, engendré par un régime riche en légumes et en fruits.

Notez que ce savoir ancestral n'a pas été contredit par la science. Elle a montré que les spermatozoïdes porteurs des chromosomes XY (les garçons) avaient un tropisme avec le milieu acide. Tandis que les spermatozoïdes porteurs des chromosomes XX (les filles) circulaient mieux dans un milieu légèrement alcalin.

harmonieusement en puisant dans les réserves de la mère. Je conseille donc de manger par petites portions toutes les deux heures. Une envie de fruit ? C'est parfait. Un peu plus tard d'un biscuit ? Pourquoi pas. Et après de salé ? C'est bien. Il faut faire confiance à son corps, être à son écoute. L'important est de ne pas surcharger son foie par de grosses portions. La digestion sera ainsi plus facile et les nausées moins fréquentes.

La prévention des vergetures

L'étirement rapide de la peau au cours de la grossesse peut entraîner des ruptures des fibres collagènes et élastiques profondes de la peau. La grossesse, l'adolescence, les prises de poids rapides, suivies d'amincissement brutaux, en sont à l'origine. Certaines femmes y sont plus sujettes que d'autres, et il existe certainement un terrain familial chez des femmes dont la peau est plus fragile. Mais ce n'est pas une fatalité. Quelques gestes simples peuvent aider votre peau à rester lisse (voir p. 115).

Les mycoses

Elles sont plus fréquentes pendant la grossesse et sont dues, en partie, au changement d'acidité du milieu vaginal, à cause des variations hormonales. Elles ne sont pas graves, mais méritent tout de même un traitement rapide.

Au deuxième trimestre : garder l'équilibre

Les nausées sont normalement de l'histoire ancienne, et on se sent en forme. L'appétit augmente en fonction des besoins du fœtus. Maintenant, tout est une question d'équilibre : il faut satisfaire le bébé, sans dépasser ses propres limites. On peut avoir à ce stade une nette tendance à la constipation et aux ballonnements… Il est donc important de donner à ses organes digestifs, et aux intestins en particulier, toutes les chances de surmonter ces troubles, qui sont cause de fatigue. La prise de poids trop importante peut être un signe de rétention d'eau. Les jambes gonflent et, plus grave, l'augmentation du volume du sang peut avoir pour conséquence une augmentation de la pression artérielle. C'est une chose à surveiller de près, car les conséquences peuvent être graves pour le bébé.

Du repos !

Le fonctionnement du corps est entièrement tourné vers le bébé. Celui de l'esprit aussi. Sous l'effet de la progestérone, l'hormone de la grossesse, la femme vit dans un cocon, où elle flotte avec son bébé. Et c'est bien ainsi !

Cette détente facilitera la digestion et le bien-être en général. Il est important de dormir beaucoup, de faire la grasse matinée par exemple, ou encore de s'allonger lorsqu'on en ressent l'envie. On se couvrira bien, on lira ou on écoutera de la musique… Tout pour se relaxer. Les importuns, les personnes qui stressent ou font perdre inutilement du temps sont à fuir, comme sont à fuir les émotions trop fortes ou négatives. La mise en place d'une bonne hygiène de vie et d'un environnement confortable (sans trop de bruit, ni de stress, ni de pollution, ni de travail !) influence favorablement le déroulement de la grossesse.

Au troisième trimestre, on se prépare à l'accouchement

L'accouchement est un moment éprouvant et pour la maman et pour le bébé. Ce n'est pas facile pour lui, tout petit et fragile, d'être expulsé du corps de sa maman. Tout ce qui doit importer pour cette dernière est de mettre au monde son bébé, sans le traumatiser ni le fatiguer, et sans effets néfastes non plus sur son propre organisme. Il semble donc logique de se préparer à ce moment inoubliable bien à l'avance.

Normalement, vers la trente-deuxième semaine, le bébé est en position de sortie, la tête en bas. Si ce n'est pas le cas, le médecin ou la sage-femme tentera de l'aider à se retourner pour éviter ce que l'on appelle un accouchement par le siège ou une césarienne.

Le massage de certains points d'acupuncture peut donner un sérieux coup de pouce, tout comme l'aide d'un ostéopathe.

Pour préparer l'accouchement, il est nécessaire d'assouplir le col de l'utérus pour qu'il s'ouvre facilement et sans douleur.

L'accouchement

Je me souviens très bien de mon propre accouchement. Nous habitions encore l'ex-URSS, à Leningrad. À l'hôpital, il n'y avait alors qu'un seul accoucheur et une seule sage-femme pour une dizaine de femmes entassées dans une salle commune. Comme personne ne pratiquait la péridurale, toutes ces femmes gémissaient de douleur. Quand le vacarme devenait insupportable, le médecin allait se calmer les nerfs en buvant une vodka, bien loin de la salle de travail ! Pour ma part, je suis arrivée calme à l'hôpital, je souffrais à peine des contractions qui avaient largement commencé, grâce à mes aiguilles d'acupuncture. J'en avais d'ailleurs en réserve. Lorsque j'ai vu toutes ces femmes souffrir, mon sang n'a fait qu'un tour. Tenant mon gros ventre d'une main, j'ai piqué les futures mères de l'autre : une petite aiguille ici, une autre là… Au bout d'une demi-heure, la salle commune avait retrouvé un calme olympien ! Si bien que le médecin, épaté, a convoqué tout le service pour voir ça. C'est alors que j'ai accouché, entourée, comme une reine, par tous les médecins de l'hôpital, sans douleur, d'un bébé rose et détendu. Depuis cette expérience, puisque j'en ai moi-même éprouvé les bienfaits, je conseille aux futures mères de se faire suivre pendant leur grossesse, et pendant l'accouchement, par un médecin ou une sage-femme qui pratique l'acupuncture. Les sages-femmes en ont maintenant le droit, il faut en profiter ! La médecine chinoise est utile pour préparer l'accouchement, pour le déclencher, pour soulager les douleurs des contractions, pour assurer l'absence de saignement et l'expulsion du placenta. Il existe aussi des points d'acupuncture que l'on peut stimuler pour augmenter l'énergie après l'accouchement, favoriser le bon allaitement, calmer la douleur des seins, prévenir et soigner le *baby blues*. Je ne saurais trop vous encourager à y avoir recours.

Massez bébé

Depuis la nuit des temps, les médecins indiens et chinois recommandent aux mères de masser leur enfant. Grâce au contact intime avec les mains de sa mère (ou de son père), le bébé s'éveille, investit son corps en prenant conscience de nouvelles sensations agréables. Il apprend à être bien dans sa peau ! Le massage stimule également la circulation du sang, renforce et assouplit les muscles, ce qui est très important avant qu'il apprenne à marcher. Pour le parent et le bébé, ce moment d'une infinie douceur est extraordinaire. Versez un peu d'amande douce dans vos mains, et caressez la paume de la main, la plante des pieds, le dos et le ventre. Ces massages doux n'exigent aucun savoir-faire spécial, seulement toute votre tendresse.

Allaitez, c'est indispensable pour lui comme pour vous !

Il faut absolument allaiter les enfants. D'abord parce que c'est excellent pour l'équilibre émotionnel du bébé et de la mère. Mais aussi parce que, jusqu'à l'âge de trois mois, l'organisme des nouveau-nés ne produit pas de défenses immunitaires : le tractus digestif ne peut pas encore sécréter ses propres probiotiques. C'est la flore intestinale et toutes les défenses immunitaires de la mère (y compris les anticorps produits par les vaccinations) qui transitent par son lait pour protéger l'enfant. Le lait maternel présente aussi un pH parfait pour le bébé, pas trop acide, ce qui facilite sa digestion. Le lait maternel prévient les bronchiolites, le reflux gastrique, les maux de ventre. C'est pourquoi je conseille d'allaiter au moins jusqu'à quatre mois. Ensuite, on peut diversifier l'alimentation (demandez conseil à votre pédiatre).

Mais je remarque que les jeunes mères d'aujourd'hui manquent de lait : heureusement, la pharmacopée chinoise peut les aider. Le houblon, le fenouil, l'anis, le thé avec du lait chaud, la bière (sans alcool) stimulent la lactation.

Et les points d'acupuncture sont extrêmement efficaces pour augmenter la production de lait, mais aussi pour faciliter le processus de la lactation, enlever les sensations douloureuses ou les petits spasmes du mamelon, qui peuvent empêcher le passage du lait.

Conseils des babouchkas et de pédiatres russes aux femmes qui ne peuvent pas allaiter

Léonid, mon mari, et moi avons fait des études qui nous préparaient à être généralistes, mais aussi pédiatres : car pour nous, si l'on est capable de soigner les enfants, on est aussi forcément capable de soigner les adultes. Ainsi, après la fin de ses études, Léonid a travaillé pendant trois ans comme pédiatre. En Russie, le travail quotidien des pédiatres se partage en deux : une demi-journée consacrée à la consultation des enfants dans le cabinet d'une polyclinique, et une demi-journée de visites à domicile. Quand un enfant a de la fièvre, c'est le pédiatre qui se déplace, car l'enfant est fatigué et, dehors, la plupart du temps, il fait très froid. À l'époque, le travail était assez difficile : chaque pédiatre avait la responsabilité d'environ mille enfants. Lors des épidémies hivernales, surtout de grippe, quand les familles entières tombaient malades, nous pouvions faire entre soixante à quatre-vingts visites à domicile. Inutile de dire que nous travaillions très tard le soir…

Lors des consultations de nourrissons, obligatoires, nous attachions une grande importance à la prévention. Chez les bébés, les maladies sont plus dangereuses car leur système immunitaire est encore immature et donc moins performant. Et, comme le climat en Russie est rude en hiver, nous faisions tout ce que nous pouvions pour stimuler leur résistance. D'abord, il fallait absolument convaincre la maman d'allaiter son bébé au moins jusqu'à trois mois, car les intestins commencent à produire la flore intestinale à partir de cet âge.

Sinon, comme dans le bon vieux temps, il fallait trouver du lait maternel (il existe des banques de dons de lait), puis commencer à introduire les céréales ou les légumes… Quand on ne peut pas allaiter, on peut opter pour du lait en poudre, adapté à l'âge du bébé. Mais, attention, il faut choisir un lait hypoallergisant ou bien du lait végétal, peu allergisant (lait de soja ou lait de riz), auquel il est bon d'ajouter des probiotiques (en vente dans les magasins bio) : environ une cuillère à thé matin et soir. À partir de l'âge de deux mois, vous pouvez ajouter une pomme cuite au four et du jaune d'œuf dur, qui contient du fer – mais, attention, il faut les introduire très progressivement, en commençant par une petite quantité et en l'augmentant tous les jours. À quatre mois, on peut compléter par les légumes, à cinq mois, par les céréales, à six mois, par 30-50 ml de bouillon de poulet, qui stimule les sécrétions gastriques, et ensuite par du poulet haché, de la viande et du poisson.

La gymnastique du périnée

Le périnée est le muscle qui assure toute la tenue du plancher pelvien. C'est lui qui enserre les orifices du vagin et de l'urètre, ainsi que l'anus. L'accouchement peut léser ce muscle, surtout lorsque le passage du bébé s'est opéré avec des forceps. Le gynécologue déterminera le moment de commencer une gymnastique du périnée. S'en préoccuper à temps, c'est éviter le risque de descente d'organes et de fuites urinaires.

Pour savoir où vous en êtes de votre tonicité musculaire, il suffit de retenir votre jet d'urine dans le premier tiers de la miction. Si vous n'y arrivez pas, il faut demander à votre gynécologue de prescrire une rééducation chez un kinésithérapeute spécialisé.

En cours de FIV ?

Les femmes, de plus en plus souvent, repoussent l'âge de la première grossesse. Des études de plus en plus longues, une vie en couple de plus en plus tardive, une activité professionnelle qui favorise rarement la maternité expliquent pour une grande part ce fait de société. Une autre raison, plus intime, peut être l'impression qu'ont les femmes (et les hommes…) d'être éternellement jeunes. Et, objectivement, les femmes d'aujourd'hui ont gagné dix ans sur leurs aînées de la génération précédente. De nos jours, une femme de quarante ans en paraît trente, une de cinquante ans semble en avoir quarante. Mais, attention, le système hormonal, lui, ne suit pas cet incroyable rajeunissement. Il ne faut pas se leurrer, même si l'allure est toujours celle d'une jeune fille, la fécondité chute en flèche à partir de l'âge de quarante ans. C'est pourquoi celles qui voient s'éveiller leur désir de maternité à la quarantaine ont parfois du mal à faire un bébé. D'où le recours de plus en plus fréquent à la procréation médicalement assistée et à la fécondation *in vitro*. Pour augmenter les chances de réussite, je vous invite à vous reporter au paragraphe « Mettre toutes les chances de son côté », p. 100.

Les chercheurs ont démontré le rôle important dans la réussite des FIV des minéraux, des compléments nutritionnels et des vitamines, comme la vitamine B et l'acide folique, la vitamine E, le zinc, le sélénium et les oméga 3. L'acupuncture augmente également l'efficacité des FIV. Une étude publiée en février 2008 dans le *British Medical Journal* a montré que, sur 1 366 femmes ayant eu recours à une FIV, l'accompagnement du processus de transfert de l'embryon à l'aide de l'acupuncture semblait accroître de 65 % les chances d'être enceinte [4].

Conseils pratiques

Préparer sa grossesse

Si vous voulez un bébé, faire un petit check-up et revoir votre régime alimentaire avec votre médecin peut être très utile. Je conseille personnellement une supplémentation.

En tête des vitamines utiles, les antioxydants comme la vitamine E, le zinc, le sélénium, les oméga 3 améliorent l'ovulation et la qualité des ovules. Et la vitamine B, ou l'acide folique, ainsi que les probiotiques favorisent l'implantation de l'embryon.

La plante indiquée

Angelica sinensis toujours, cette plante, en régularisant le cycle, favorise les grossesses ! Prenez-en une gélule par jour (voir p. 54).

Les bons gestes

Il existe des petits remèdes capables de régulariser le fonctionnement des ovaires et donc de favoriser l'ovulation et la grossesse. Ainsi, je vous recommande de réchauffer toute la partie du bas-ventre avec des compresses chaudes. Pourquoi ? Personne n'a étudié encore scientifiquement les bienfaits de ce geste. Mais je pense que les compresses doivent réchauffer les points d'acupuncture situés dans cette région.

Vous pouvez avoir recours à une toilette intime quotidienne : deux cuillerées à soupe de bicarbonate de sodium versées dans la baignoire le matin, ou deux cuillerées à café diluées dans un verre d'eau en toilette intime sous la douche. Rappelons que le bicarbonate réduit l'acidité de la flore vaginale et rétablit son pH naturel, facilitant l'élasticité du col de l'utérus et la pénétration des spermatozoïdes.

Enfin, c'est très facile, effectuez des massages sur les zones réflexes situées sur les pieds. Les points situés autour de la malléole interne correspondent aux ovaires et à l'utérus.

Pendant la grossesse

Dans la Chine ancienne, les hommes riches possédaient plusieurs femmes et plusieurs concubines. Au-dessus de la chambre de chaque femme, une petite lanterne allumée signalait que le maître lui rendait visite pour la nuit. Ce simple signal déclenchait la jalousie de celles qui se sentaient délaissées. Mais, dès que l'une des femmes était enceinte, elle s'attirait la « présence » du maître chaque nuit. Nulle n'aurait contesté ces visites ! La femme enceinte profitait d'une autre faveur : un masseur venait chaque soir lui masser la plante des pieds pour activer le fonctionnement de tous ses organes et favoriser la bonne croissance du bébé. Ainsi, dit la légende, elle mettrait au monde « un beau garçon » !

Le « Point des beaux bébés »

Comme une concubine, faites-vous masser toute la plante des pieds par votre compagnon. Chaque zone correspond à un organe, le masser en appuyant fermement permet de relancer son fonctionnement.

De la même manière, pendant toute la grossesse, le futur papa peut masser le « Point des beaux bébés », également appelé le point « Accueillir l'invité » *(zhubin)*, tout un programme ! Il se situe sur la face interne de la jambe, à huit travers de doigt au-dessus de la malléole interne, juste à l'implantation du muscle du mollet. Au toucher, le point fait un peu mal, cette sensation particulière est fréquente lorsqu'on appuie sur un point d'acupuncture. Massez cette zone durant deux minutes. Vous verrez, c'est immédiat : l'utérus, souvent contracté lors de la première grossesse, se détend, s'assouplit, le bébé peut profiter de l'espace que vous lui faites. Il bouge plus doucement, comme s'il flottait. Il s'endort plus facilement. En massant régulièrement ce point, vous mettrez au monde un bébé détendu, épanoui et, dit-on, plus beau que tous les autres. Des études ont montré que ce point facilitait l'accouchement et que, dans un certain nombre de cas, il permettait d'éviter une césarienne [5].

L'alimentation

Au menu, des fibres, encore des fibres. Il faut forcer sur les haricots verts, les épinards, le cresson, les radis, les choux de Bruxelles, le fenouil et tous les fruits.

La ration de gluten sera diminuée (dans le pain blanc, les biscottes, les pâtisseries), et les boissons gazeuses supprimées. Les sucres rapides doivent être réduits (sauf ceux des fruits), les sauces, évitées. Ajoutez à votre ration une capsule de probiotiques (voir encadré « Que sont les probiotiques ? », p. 51) pour renforcer votre flore intestinale.

Normalement, ce régime doit vous aider à garder le juste poids, sans pour autant vous affamer. Attendez-vous à prendre sept ou huit kilos, le poids du bébé et de son placenta, et pas beaucoup plus.

Faites le plein de bons nutriments

Dès les premières semaines et pendant toute la grossesse, veillez à ne pas manquer de :

▸ vitamine C : vous en avez besoin pour vos défenses immunitaires et pour celles du fœtus. Vous la trouvez dans tous les fruits frais, kiwis, fruits rouges, agrumes (sauf le jus d'orange, trop acide) ;

▸ vitamine B6 : pour diminuer les nausées en début de grossesse. Après, elle favorise l'assimilation des lipides et des protéines. Elle est présente dans les germes de blé, le jaune d'œuf, la levure de bière, les légumes secs ;

▸ zinc : toujours pour les défenses immunitaires. Il se trouve dans les crustacés, le jaune d'œuf, le foie.

Les nausées de la grossesse

Il est normal de souffrir de nausées les premiers mois de la grossesse. Les hormones sécrétées en grande quantité pour favoriser le développement du bébé et les déchets produits par la vie de l'embryon lui-même surchargent le foie qui, comme une usine chimique, doit travailler à son maximum pour éliminer... Pour calmer les maux de cœur, prenez 1 g de vitamine C additionné d'un complexe de vitamines B, puis allongez-vous un quart d'heure en vous relaxant le mieux possible. Le point « Barrière interne » (*neiguan*), sur la face interne de l'avant-bras, à trois travers de doigt au-dessus du pli du poignet, entre les deux tendons proéminents, est réputé pour calmer les nausées de la grossesse aussi bien que le mal des transports ou le mal de mer – et même le mal de l'espace chez les cosmonautes.

Les vergetures

Massez en profondeur les zones à risque – hanches, cuisses, ventre, seins – avec un peu d'huile d'amande douce, ou une bonne crème très hydratante.

Grâce à ce geste, répété chaque jour, vous pouvez stimuler la production des fibres de la peau et leur donner une souplesse, une élasticité dont la peau aura besoin pendant toute la prise de poids de la grossesse. Évidemment, ce traitement n'est pas infaillible. Mais, même si vous souffrez de vergetures, dites-vous bien que tout n'est pas perdu ! Consultez un acupuncteur après votre accouchement, il peut réduire les traces disgracieuses.

Les mycoses

Dans le temps, les gynécologues recommandaient aux femmes enceintes de mettre deux cuillerées à soupe de bicarbonate dans l'eau de leur bain dès la première semaine de la grossesse, pour rétablir le pH de la flore vaginale.

Je ne saurais trop vous conseiller de suivre cette recommandation. Vous éviterez les mycoses.

La rétention d'eau

Contrairement à vos habitudes, buvez peu (le bébé appuie sur vos reins, qui deviennent plus paresseux pour filtrer les liquides). Au maximum un litre et demi tout compris, soupes, boissons, etc. Il est connu que le sel retient l'eau : faites un régime sans sel !

Remplacez le sel par un peu de poudre de gingembre, une épice qui stimule les reins. Même au restaurant, il suffit de le préciser au cuisinier.

Si les symptômes persistent (pieds et chevilles gonflés), parlez-en à votre gynécologue obstétricien.

LES POINTS À STIMULER PENDANT LA GROSSESSE

LE « POINT DES BEAUX BÉBÉS »

Voir page 113.

CONTRE LES NAUSÉES DE LA GROSSESSE

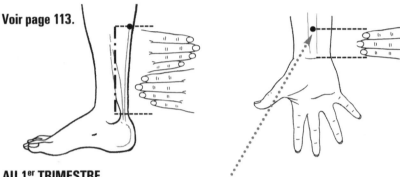

AU 1er TRIMESTRE

Stimulez le point « Barrière interne » *(neiguan)*. Massez dans le sens des aiguilles d'une montre pendant deux minutes (voir page 114).

AU 2e TRIMESTRE

Le point « Barrière de l'eau » *(shuiquan)*, sur la face interne du pied, juste au-dessus du talon, au point d'insertion du talon d'Achille, régularise les échanges entre l'enfant et sa mère et libère le ventre de la future maman des tensions. À masser chaque soir pendant deux minutes dans le sens des aiguilles d'une montre.

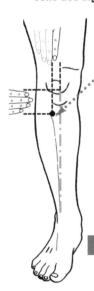

AU 3e TRIMESTRE

Les deux points symétriques « Trois distances de la jambe » ou « Point de l'énergie vitale » *(zusanli)*, qui se trouvent à quatre travers de doigt au-dessous du genou (à l'endroit où s'arrêtent les petites rugosités de la peau) et à un travers de doigt vers l'extérieur. Ce point est connu pour son action stimulante. Massez-le aussi deux ou trois minutes plusieurs fois par jour, pendant tout le dernier mois de votre grossesse.

Aider l'enfant à se retourner

LE POINT À STIMULER
POUR AIDER L'ENFANT À SE RETOURNER

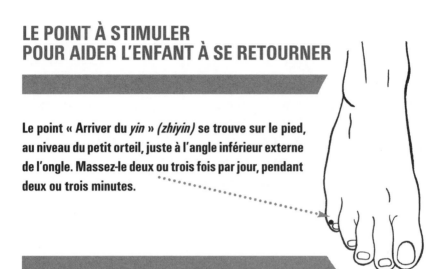

Le point « Arriver du *yin* » *(zhiyin)* se trouve sur le pied, au niveau du petit orteil, juste à l'angle inférieur externe de l'ongle. Massez-le deux ou trois fois par jour, pendant deux ou trois minutes.

Favoriser l'ouverture du col

LE POINT À STIMULER
POUR FAVORISER L'OUVERTURE DU COL

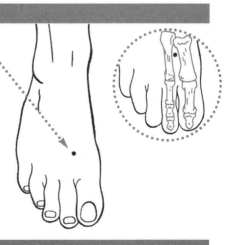

C'est le point « Grand croisement » *(taichong)*, qui se trouve sur le pied, dans l'espace entre le gros orteil et le deuxième orteil.
Massez ce point deux ou trois minutes, plusieurs fois par jour, pendant le dernier mois de la grossesse.

Soulager les douleurs pendant l'accouchement : les pères peuvent participer !

LES POINTS À STIMULER POUR SOULAGER LA DOULEUR

Plusieurs recherches scientifiques ont démontré que la stimulation des points d'acupuncture lors de l'accouchement soulageait la douleur et pouvait diminuer fortement, voire complètement, la nécessité d'autres analgésiques, et réduisait de manière importante la durée du travail [6]. Le futur papa peut masser ces points périodiquement, pendant les contractions et même lors du travail. Le massage de ces points freine la douleur et facilite le passage du bébé :

▶ Le point « Extension du méridien » *(shenmai)*, situé dans la dépression directement au-dessous de la malléole externe.

▶ Le point « Mer éclairée » *(zhaohai)*, qui se trouve sur le bord interne du pied, à un travers de doigt au-dessous de la malléole interne, en face du point « Extension du méridien ».

▶ Les points « *baliao* », les quatre paires de points symétriques qui correspondent dans chaque trou du sacrum.

118

Épargner son dos

La femme aura besoin de rassembler toutes ses forces vitales pour le grand soir. Je suis pour le port d'une ceinture abdominale dans la seconde partie de la grossesse : elle soutient la colonne vertébrale qui doit compenser le poids du bébé et du liquide amniotique. La ceinture abdominale, d'après mon expérience auprès de mes patientes, évite ou soulage les maux de dos. En répartissant le poids, elle épargne aussi la peau et contribue à limiter les vergetures.

Après l'accouchement

Retrouver l'énergie

LE POINT À STIMULER POUR RETROUVER L'ÉNERGIE

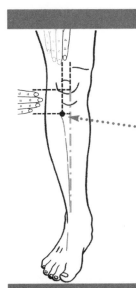

Pour retrouver toutes vos forces après l'accouchement, massez les deux points symétriques « Trois distances de la jambe » ou « Point de l'énergie vitale » *(zusanli)*, situés à quatre travers de doigt au-dessous du genou (là où s'arrêtent les petites rugosités de la peau) et à un travers de doigt vers l'extérieur.

Je déconseille, en revanche, de se remettre trop rapidement au sport ou de s'adonner à un régime strict. Il vaut mieux faire de la marche au grand air, et les kilos de grossesse disparaîtront naturellement.

On peut prévoir quelques séances d'acupuncture pour rééquilibrer le fonctionnement hormonal et retrouver la ligne plus rapidement.

Si quelques rondeurs persistent, on consultera un peu plus tard un nutritionniste.

POUR LE PÉRINÉE : L'EXERCICE DU CERF

Allongée dans votre lit le matin ou le soir, jambes repliées à 90 degrés, serrez le muscle du périnée comme si vous vouliez retenir une envie d'uriner. Tenez dix secondes. Relâchez. Puis prenez l'habitude de pratiquer cet exercice dans la vie courante : en attendant le bus, en voiture au feu rouge, dans la salle d'attente. Plus vous effectuez de séries, mieux ça marche !

Vous avez le blues ?

Je me souviens très bien de cette jeune patiente qui, après avoir mis au monde une belle petite fille, s'est présentée dans mon cabinet très pâle, avec de gros cernes sous les yeux, et surtout totalement épuisée. Depuis qu'elle était rentrée chez elle, elle avait perdu le sommeil. L'allaitement pourtant se passait bien et sa petite fille, elle, dormait comme une princesse. En fait, en parlant avec elle, j'ai pu mettre en évidence la grande crainte de cette femme : elle avait peur de dormir car, inconsciemment, elle craignait que quelque chose ne puisse arriver à sa petite pendant son sommeil. Voilà donc une des

LES POINTS À STIMULER CONTRE LE BLUES

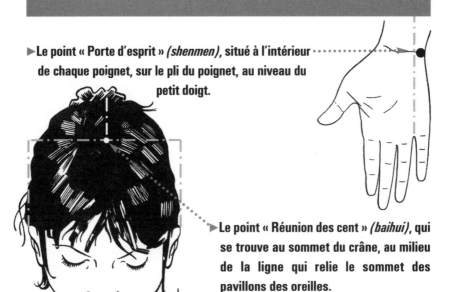

▶Le point « Porte d'esprit » *(shenmen)*, situé à l'intérieur
de chaque poignet, sur le pli du poignet, au niveau du
petit doigt.

▶Le point « Réunion des cent » *(baihui)*, qui
se trouve au sommet du crâne, au milieu
de la ligne qui relie le sommet des
pavillons des oreilles.

Ils vous aideront à combattre l'anxiété, la déprime du *baby blues*, ainsi qu'à
retrouver le sommeil.

manifestations fréquente du *baby blues*, une dépression qui
peut frapper les jeunes mères.

Quelle contraception après l'accouchement ?

Vous l'avez compris (voir le chapitre « 20 à 30 ans »), je pense
que trop d'hormones nuit à la santé des femmes. C'est pourquoi
je déconseille absolument d'additionner tous les traitements
hormonaux. Si vous cumulez pilule contraceptive + plusieurs

stimulations hormonales pour avoir un bébé + pilule de nouveau + THS (traitement hormonal de la ménopause), vous aurez passé votre vie entière de femme sous hormones ! De nombreuses recherches scientifiques ont prouvé que la prise d'hormones augmente les risques de cancer du sein, de l'utérus et des ovaires [7]. Il est peut-être opportun de consulter votre gynécologue et de discuter avec lui de la pose d'un stérilet, par exemple.

Masser bébé

Masser un bébé, comme nous l'avons vu, est très important pour l'aider à prendre conscience de son corps. Le massage lui permet de découvrir de nouvelles sensations et l'apaise.

Pour aider bébé à s'endormir

Massez les deux points « Bout des sourcils » *(sizhukong),* qui se trouvent effectivement sur l'extrémité latérale des sourcils : on les masse doucement deux ou trois minutes dans le sens des aiguilles d'une montre.

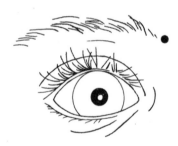

Pour stimuler bébé

Quand bébé ne marche pas encore, il est utile de stimuler ses muscles et sa circulation sanguine. Ainsi, le massage des « 8 fois 8 », qui agit sur toutes les parties du corps, permet aux muscles et aux capacités psychomotrices de l'enfant de mieux se développer.

LE MASSAGE « 8 FOIS 8 »

1. MASSAGE DU VENTRE

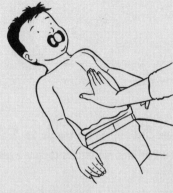

▶ La paume de la main droite sur le nombril, on appuie doucement huit fois.

▶ Les deux pouces de maman des deux côtés du nombril, on fait huit fois le massage en aller-retour dans l'axe vertical.

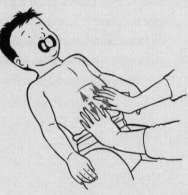

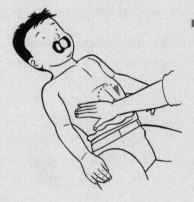

▶ Huit mouvements autour du nombril dans le sens des aiguilles d'une montre, en commençant plus près du nombril, et vers l'extérieur. On masse d'abord huit fois, puis on tapote légèrement huit fois autour du nombril, toujours dans le sens des aiguilles d'une montre.

2. MASSAGE DE LA POITRINE

On masse huit fois tout le buste, en partant des épaules et en dessinant un X.

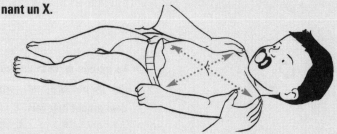

3. MASSAGE DES BRAS

Mouvements symétriques, des deux côtés en même temps. La direction des mouvements se fait de haut en bas. On répète toujours huit fois chaque mouvement :

▶ Huit fois les mouvements à partir du point « Angle de l'épaule » *(jianyu)* (levez le bras à l'horizontal, le point se trouve au creux qui se forme entre l'épaule et la poitrine, au niveau de l'aisselle) jusqu'au point « Mare de la courbe » *(quchi)*, sur la face externe du bras, à l'extrémité du pli du coude (là où l'on sent un creux quand on plie le bras).

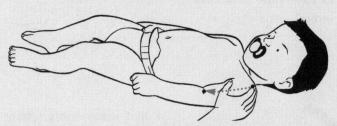

▶ Huit fois le mouvement « Mare de la courbe » *(quchi)* vers la main, vers le point « Gueule de tigre » *(hegu)*, dans l'espace entre le pouce et l'index.

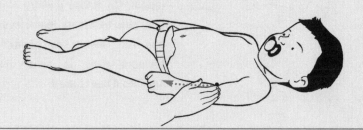

▶ Huit mouvements du massage sur chaque doigt dans la direction de haut en bas, à partir du poignet jusqu'au bout de chaque doigt.

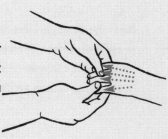

4. MASSAGE DES JAMBES

Mouvements toujours symétriques, des deux côtés en même temps. La direction des mouvements se fait de haut en bas. On répète huit fois chaque mouvement :

▶ **Massage externe des jambes**

Les mains des deux côtés des hanches, on fait huit fois, de haut en bas, les mouvements à partir du point « Marché du vent » *(fengshi)* sur la face externe du haut de la cuisse, jusqu'au point « Source de la colline yang » *(yanglingquan)*, à l'extérieur de la jambe, en dessous du genou, au niveau de la tête du péroné.

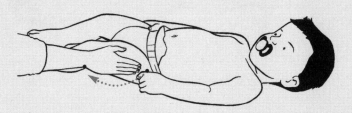

À partir du point « Source de la colline yang » *(yanglingquan)*, huit mouvements vers le point « Monticule des ruines » *(qiuxu)*, dans le creux en dessous et en avant de la malléole externe.

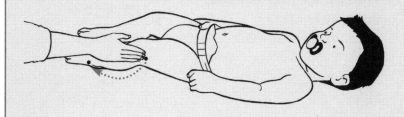

▶ **Massage du dessus des cuisses**
À partir du point « Marché du vent » *(fengshi)*, huit mouvements vers le point « Sommet du monticule » *(hedin)*, sur la face avant de la cuisse, au-dessus du genou.

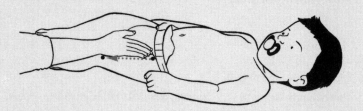

À partir du point « Trois distances de la jambe » ou « Point de l'énergie vitale » *(zusanli)*, en dessous du genou, huit mouvements de haut en bas vers le point « Ruisselet » au milieu du pli du pied.

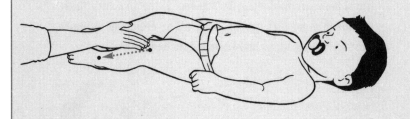

5. MASSAGE DES PIEDS

Huit fois le massage de chaque orteil, de haut en bas, à partir des os métatarsiens jusqu'au bout de chaque orteil.

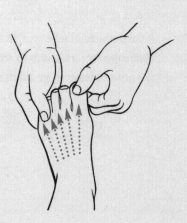

6. MASSAGE DE LA PLANTE DES PIEDS

▶ Huit fois les mouvements en huit sur toute la longueur des pieds.

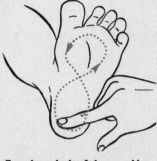

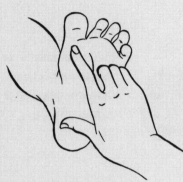

▶ Ensuite, huit fois un léger tapotement sur le haut, au milieu de la plante du pied et sur le talon.

7. MASSAGE DU DOS

Répéter toujours huit fois le même mouvement, avec des mouvements symétriques des deux côtés simultanément.

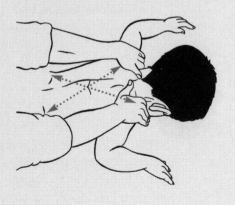

▶ Huit mouvements sur le tronc de haut en bas, à partir des épaules jusqu'aux lombes, en dessinant un X.

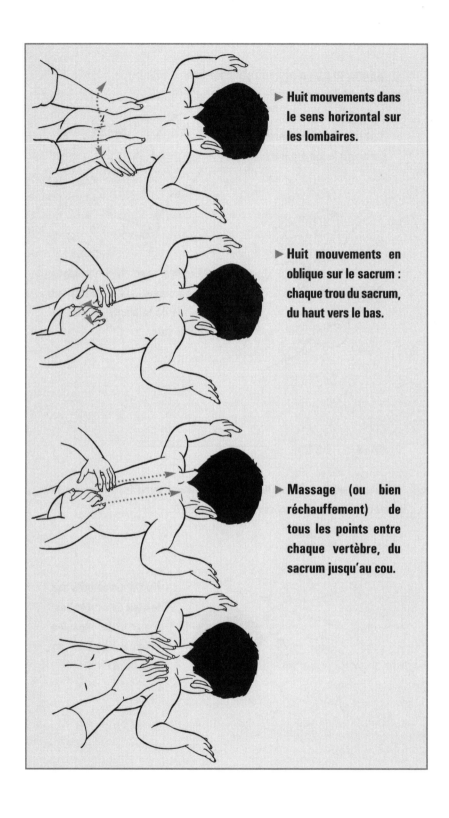

▶ **Huit mouvements dans le sens horizontal sur les lombaires.**

▶ **Huit mouvements en oblique sur le sacrum : chaque trou du sacrum, du haut vers le bas.**

▶ **Massage (ou bien réchauffement) de tous les points entre chaque vertèbre, du sacrum jusqu'au cou.**

8. MASSAGE DE L'ARRIÈRE DES JAMBES

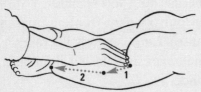

▶ Huit fois le mouvement en partant de l'arrière de la cuisse, au niveau du pli des fesses jusqu'au milieu de l'arrière du genou (point « Milieu de la courbe », *weizhong*).

▶ Huit fois le mouvement en partant de l'arrière du genou du point « Milieu de la courbe » *(weizhong)* jusqu'au point « Montagne Kunlun *(Kunlun)*, dans le creux entre la malléole externe et le tendon d'Achille au niveau de la cheville. Puis on tire doucement chaque orteil.

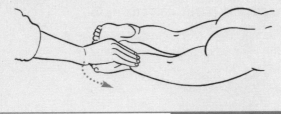

L'allaitement

UN POINT QUI FAVORISE LA MONTÉE DE LAIT

Le point « Intestin grêle » *(shaoze)* se trouve à l'angle extérieur de l'ongle du petit doigt.

Aider bébé à digérer

Prendre une pomme (de préférence bio, ou une pomme verte, moins allergisante), faire un petit trou à son sommet, y verser un peu d'eau, la faire cuire au four pendant trente à quarante minutes (elle doit être bien cuite). La peler puis l'écraser à la fourchette ou au mixeur, la mélanger avec le lait pour que la purée de pomme soit bien liquide.

On peut commencer par donner au bébé une petite cuillère, et augmenter un peu tous les jours – au bout de quelques semaines, le bébé pourra manger une pomme entière. La pectine de pomme a des vertus très précieuses : non seulement elle est pleine de vitamines, mais encore elle absorbe les gaz et soulage bien les coliques intestinales. La digestion de bébé se normalise, les selles sont plus formées et il a beaucoup moins mal au ventre. On peut commencer à partir de deux mois.

À retenir

Quel que soit l'âge, la grossesse est une période privilégiée, où toute l'attention doit être tournée vers son bien-être et celui du bébé. La médecine chinoise traditionnelle considère que la grossesse est une période où l'organisme dépense plus d'énergie. Après l'accouchement, le défi est donc de retrouver son capital énergie. Écoutez-vous, reposez-vous et faites-vous confiance !

40 à 50 ans
L'âge de l'essentiel

Quarante ans ! Quand on entre dans l'âge adulte, on a l'impression que l'on va mettre des siècles à atteindre cet âge. Et pourtant, la voilà, cette décennie.

Si l'heure des grands bouleversements est passée, en dix ans, cependant, la situation a évolué dans tous les domaines.

Sur le plan professionnel, d'abord. L'expérience aidant, on est performante, imaginative mais… moins résistante que par le passé. Les nouvelles qualités remplacent et compensent largement le moindre ressort. On a des responsabilités, des décisions à prendre, pourtant cela semble bien plus simple maintenant que l'on a accumulé des années de pratique. On conseille les plus jeunes, on leur parle de son parcours. Eh oui, dorénavant, on possède une certaine mémoire professionnelle… Le plus souvent, il est très satisfaisant de constater que l'on maîtrise les situations et que l'on trouve les solutions aux problèmes qui se posent, rapidement et sans hésitation.

Sur le plan personnel, les choses suivent leur cours. Les enfants grandissent, les couples sont installés – ou réinstallés… On a parfois la tentation de faire un petit dernier, tout en se demandant si on en aura encore l'énergie. Car, sur le plan physique, la fatigue se fait ressentir. Alors que l'on se croyait indestructible, les excès commencent à se payer. Entre le travail et la vie privée, le rythme de vie ne laisse que peu de place à la récupération et on a tendance à vouloir se ménager.

C'est aussi l'heure des grandes décisions : se mettre au sport, s'occuper de soi, fréquenter des instituts de beauté. On sent instinctivement qu'il est temps de prendre les choses en main et que l'on ne peut plus compter sur sa bonne nature pour tout réparer.

Nombreux sont les petits réflexes qui naissent. On observe les ridules qui apparaissent au coin des yeux, on commence à tirer machinalement sur sa peau pour la tendre. Le matin, le passage devant le miroir est parfois difficile : les lendemains de fête ne sont plus ce qu'ils étaient. Avant, on se levait comme une rose, malgré les abus. À partir de quarante ans, la récupération est plus longue.

Dans la médecine chinoise, on attribue ces symptômes au méridien des reins. « À l'âge de 5 fois 7 = 35 ans chez les femmes, à l'âge de 5 fois 8 = 40 ans chez les hommes, l'énergie des reins commence à décliner. » On entre dans un nouveau cycle. Le métabolisme ralentit, entraînant des conséquences diverses : prise de poids, moins bonne digestion, troubles de la circulation sanguine, douleurs diverses, notamment au niveau du rachis.

Heureusement, tous ces troubles sont réversibles. Il est temps de prendre de bonnes habitudes (alimentaires, sportives…), si ce n'est déjà fait. Tous les petits maux du quotidien, qui sont autant de signaux que vous envoie votre corps, peuvent être non seulement soulagés, mais encore complètement guéris. C'est un âge crucial, déterminant pour les décennies à venir.

Chaque période de la vie apporte ses avantages. Certes, l'âge entraîne une plus grande vulnérabilité, mais il ne faut surtout pas oublier qu'on y gagne une qualité essentielle : l'expérience. On se connaît de mieux en mieux, on a appris à détecter ce qui nous réussit ou pas, on sait ce que l'on peut se permettre. C'est un atout maître dont il faudra savoir jouer, tout simplement en se faisant confiance et en acceptant de suivre son intuition.

On dit qu'à vingt ans on a la beauté que le ciel donne, à trente, celle qui nous correspond, et à quarante, celle que l'on mérite…

À SURVEILLER

- le poids ;
- les problèmes digestifs ;
- les troubles circulatoires ;
- les douleurs de dos.

S'occuper de soi, c'est se respecter et être capable d'être énergique, de s'opposer, de se rebeller contre ce qui nous entrave.

Des changements visibles...

À partir de la quarantaine, le fonctionnement de l'organisme change. Les grands bouleversements du corps sont loin derrière, la vitesse du métabolisme de base ralentit, tous les muscles se détendent si on ne les entretient pas, et cela se répercute sur la peau, moins élastique et moins tendue. Il existe deux sortes de muscles : les muscles somatiques, que l'on stimule par le sport, et les muscles lisses, qui maintiennent les organes et tendent la peau, que l'on ne peut pas stimuler soi-même. Avec l'âge, ces muscles se distendent : voilà les premières rides qui se creusent – le mouvement a commencé pendant la décennie précédente. Les cheveux, quant à eux, selon leur nature et l'hérédité, se teintent de mèches blanches, sont parfois plus cassants. On pourra, grâce à des apports ciblés, retarder les effets du temps, booster les muscles, doper le cuir chevelu.

Réguler son poids

Entre son métier et ses enfants, on a moins de temps pour se dépenser, aller danser, marcher, faire des balades à vélo ou jouer au tennis… Le mode de vie devient beaucoup plus sédentaire. Il est aussi connu que les mères de famille font plus de cuisine, en plus grande quantité et plus riche que les célibataires qui grignotent sur le pouce ! Même si l'on n'est pas à la tête d'une famille nombreuse, la profession, la vie sociale entraînent souvent dans des cocktails et des dîners un peu trop gourmands. Résultat : les dépenses d'énergie par l'activité physique diminuent, souvent par manque de disponibilité pour pratiquer régulièrement un sport.

En outre, le métabolisme ralentit et les intestins mettent plus de temps à faire leur travail d'élimination, la nourriture stagne et les toxines s'accumulent, ce qui entrave encore davantage la digestion. La fatigue, le stress augmentent l'appétit. Résultat, les envies de sucres rapides sont fréquentes. Le sucre n'est-il pas la source d'énergie la plus rapide et la plus accessible pour combler le manque d'énergie immédiat ? Mais, une fois brûlés, ils entraînent une fatigue encore plus forte et le besoin encore prégnant de « refaire le plein » de sucres rapides. C'est inéluctable, les kilos s'accumulent.

Le processus de la prise de poids répond à un mécanisme très simple : on consomme plus de calories que l'on en dépense. Il faut donc normaliser son appétit et retrouver de saines habitudes. Et pour cela, il faut toujours commencer par s'occuper de ses intestins.

Bizarre ? Pas tant que cela.

Les Chinois disaient déjà que l'homme avait deux cerveaux. L'un dans la tête, l'autre dans le ventre. Depuis, nous savons que les intestins sécrètent les mêmes neurohormones que le cerveau. Ces deux centres, lorsque tout va bien, régulent l'appétit. Quand l'estomac est vide car l'on a éliminé le repas précédent, on connaît une sensation de faim. Et on mange. Voilà le schéma qu'il faudrait idéalement suivre. Mais les conventions sociales et les nombreuses tentations de la vie quotidienne poussent à ne plus écouter son corps, à faire de multiples petites entorses alimentaires. À force de grignoter, de goûter, voire de se forcer à finir son assiette par politesse, on ne sait même plus quand on a faim. On passe à table machinalement, on consomme sans besoin. Plus on accumule les toxines, plus la sensation de faim est difficile à contrôler – le « frein » ne répond plus aux commandes.

D'autres facteurs peuvent favoriser cette prise de nourriture anarchique. Le stress, par exemple, dont on a étudié les effets p. 43-46 et 66, ou encore une forme de dépression qui pousse à manger pour se « remplir ». Là encore, les mécanismes de contrôle de la faim et de la satiété ne remplissent plus leur fonction.

Où sont situés les kilos ?

La question peut paraître saugrenue. Elle va pourtant permettre d'en savoir plus sur l'origine de la prise de poids et d'y remédier au mieux. En effet, les kilos peuvent se localiser à différents endroits en fonction de la faiblesse d'une glande endocrinienne.

– **Si le poids est situé exclusivement sur la ceinture abdominale**, le mécanisme de l'insuline est en jeu. Attention, ce surpoids, fréquent chez les diabétiques, est le plus dangereux pour la santé. Il faut absolument arrêter le sucre et normaliser le métabolisme des glucides lents en supprimant le pain (ou en le remplaçant par les galettes de riz ou du pain sans gluten). La chaîne la plus fréquente est la suivante : le stress – le plus grand « vampire » d'énergie – provoque la fatigue, qui nécessite une injonction de calories en urgence – les sucres rapides. Leur prise sollicite pour les « digérer » l'hyperproduction d'insuline par le pancréas. Le résultat : hypoglycémie passagère qui se manifeste par la sensation d'épuisement et le besoin urgent de sucre, et ça recommence jusqu'à l'épuisement des réserves de la production de l'insuline par le pancréas. Je vous conseille dans tous les cas de consulter un médecin.

– **Si le poids est situé à la fois sur les fesses, les cuisses et le ventre**, il s'agit d'un dérèglement des hormones féminines. Peut-être est-ce dû à un traitement hormonal ou à une contraception mal adaptée. Consultez votre gynécologue.

– **Si le poids est situé sur les épaules et le haut du corps**, c'est signe de stress, qui épuise les glandes surrénales. Il faut faire des exercices de relaxation, de la méditation, du yoga. Ou encore cela peut être causé par un traitement à la cortisone qui fragilise les glandes surrénales et favorise la rétention d'eau. Dans ce cas, il convient de consulter un médecin pour voir comment retrouver son équilibre.

À partir de cette prise de conscience, il s'agit de mettre en pratique des habitudes simples pour se débarrasser de ce surpoids. De bonnes habitudes qui deviendront vite des réflexes.

Le métabolisme de base, un atout à protéger

On appelle métabolisme de base les dépenses énergétiques de l'organisme au repos, qui sont différentes chez chacun. Les chanceux ont un métabolisme très actif, qui leur permet de dépenser plus d'énergie et ainsi de pouvoir faire des écarts, tandis que d'autres vont « profiter » de chaque calorie avalée car leur métabolisme marche au ralenti. C'est une des grandes injustices de la vie… à laquelle on peut tout de même échapper en partie. En effet, il est possible de booster ce métabolisme, deux facteurs entrant en ligne de compte.

Tout d'abord, la pratique d'un sport fait augmenter le métabolisme de base. Mais, attention, le métabolisme commence à être affecté après trente minutes d'exercice, il faut donc prévoir des séances d'une durée supérieure si l'on veut obtenir un résultat. En effet, c'est la masse musculaire qui brûle les calories. Il faut donc augmenter le pourcentage des muscles. En outre, il faut avoir une pratique régulière, car l'arrêt du sport fait chuter ce métabolisme. Il est souvent difficile de s'astreindre à une pratique ennuyeuse, et c'est ce qui rebute bien des personnes. On commence avec beaucoup de bonne volonté, puis l'on finit par abandonner, avec en plus un sentiment d'échec mauvais pour le moral.

Le plus important, donc, est de trouver une activité que l'on va faire avec plaisir. Pour certains, ce sera par exemple des randonnées avec des amis, pour d'autres, des sports collectifs qui présentent un aspect ludique, ou encore des séances de natation, voire des promenades à vélo… Pratiquer une activité en groupe est souvent une bonne façon de trouver une motivation.

Il faut également mesurer le rythme cardiaque : lors d'un effort physique, le nombre de pulsations doit augmenter impérativement – n'oubliez pas que le myocarde est l'un des plus grands muscles du corps. Pour être efficace lors du cardio-training, le nombre de pulsations doit augmenter jusqu'à 130-140 pulsations/minute. Il existe un appareillage très simple pour mesurer les pulsations : une ceinture cardiaque par exemple. Ainsi, les exercices de cardio-training avec des accélérations pour obtenir la bonne augmentation du rythme cardiaque permettent d'entraîner le muscle du cœur, mais aussi de stimuler tous les muscles, qui remplaceront la masse graisseuse, et de brûler les calories.

La thyroïde a elle aussi un impact très important sur le métabolisme. En puisant de l'iode dans le sang, la thyroïde produit des hormones qui ont des actions diverses : elles stimulent les métabolismes des lipides, des glucides et des protides, ainsi que la croissance. C'est un filtre qui protège l'organisme contre les agressions extérieures (contre la pollution et la radioactivité par exemple) et qui régule les dépenses énergétiques. Quand ce filtre est surchargé, il se bouche, la thyroïde ne peut alors plus jouer son rôle de régulateur – ce qui se traduit par une prise de poids. Et, à partir du moment où les hormones thyroïdiennes commencent à décliner, on élimine plus difficilement les calories.

Le ralentissement du fonctionnement de la thyroïde qui débute à cet âge favorise donc la prise de poids et la constipation. L'hypothyroïdie, c'est-à-dire une sous-production de ces hormones, peut avoir des conséquences importantes telles qu'une prise de poids brutale et significative, ou encore une grande fatigue.

L'équilibre en iode est important pour le bon fonctionnement de la thyroïde. Une hypothyroïdie est le signe d'un manque d'iode dans l'organisme. La thyroïde joue sur la croissance, et un manque d'apport en iode chez les enfants entraîne une moindre croissance. C'est pour cela que les Asiatiques ont longtemps été relativement petits, car leur alimentation de base (le riz) ne contient pas d'iode. Maintenant que leur nourriture est plus diversifiée, la taille moyenne augmente. Toutes les céréales sont très pauvres en iode ; les algues par contre en contiennent beaucoup.

À l'inverse, une hyperthyroïdie est le signe d'un dysfonctionnement de la thyroïde, plus précisément d'une inflammation de la thyroïde. Une grande fatigue, une perte de poids brutale peuvent en être des symptômes. Un fort stress peut également être la cause de cette inflammation. Dans ce cas-là, il faut absolument consulter un médecin.

Il faut donc faire des dosages pour avoir une idée du fonctionnement de sa thyroïde. Sachez qu'une mauvaise humeur brutale, ou encore des crises d'angoisse peuvent être aussi des symptômes d'un dérèglement de cette glande.

Un organisme qui s'intoxique

Une autre cause de la prise de poids, du ralentissement du métabolisme et d'une moins bonne élimination des déchets de l'organisme est la constipation.

La constipation

Trois causes se conjuguent pour provoquer la constipation. D'une part, on ne mange pas assez de fibres, or elles sont indispensables pour donner du volume aux selles et leur permettre d'être acheminées dans le côlon. Le manque d'eau dans la nourriture provoque les matières trop sèches et dures à éliminer. D'autre part, l'intestin fonctionne moins vite et la péristaltique (mouvements des intestins) intestinale est ralentie : les spasmes du côlon pour éliminer les matières fécales deviennent quasi inexistants. Résultat, les déchets de la digestion stagnent, encombrant un peu plus les intestins et ralentissant encore l'élimination. Enfin, la péristaltique intestinale dépend aussi de la bile, produite par le foie. Ainsi, le spasme de la vésicule biliaire ou la bile trop visqueuse peuvent entraver l'élimination intestinale. Les probiotiques, en couvrant les parois des intestins, assurent son bon fonctionnement.

La stagnation des toxines dans le foie et les intestins peut déboucher sur des problèmes multiples. Le gonflement du côlon, en comprimant les vaisseaux sanguins dans la fosse inguinale, a des conséquences directes sur la circulation du sang, dans le petit bassin et dans les jambes, pouvant causer varices et hémorroïdes.

Une mauvaise circulation dans les jambes

Tout commence par une sensation de jambes lourdes en voyage, ou quand on piétine trop longtemps. Puis, progressivement, des varicosités (de fines veines violettes) marbrent les genoux. Les grossesses ont certainement joué un rôle pour développer ce

LES CRAMPES

Les muscles, en travaillant, consomment du glucose et de l'oxygène, et produisent de l'acide lactique. Quand ils travaillent trop violemment ou trop longtemps, ils s'asphyxient et sécrètent en plus grande quantité de l'acide lactique, une substance qui, en s'accumulant, conduit à un état d'acidose (une trop grande acidité). Cela se manifeste par des crampes, de la fatigue et des courbatures musculaires. C'est l'acide lactique qui provoque la douleur. Et la seule substance capable de le détruire est une enzyme, la lactase déshydrogénase, fabriquée par le foie. Encore faut-il que le foie soit en état de faire son travail efficacement.

trouble. Le bébé pèse sur les artères qui passent dans le pli inguinal pour irriguer et alimenter les membres inférieurs. Toujours est-il que l'on se trouve là face aux prémices de varices, qu'il convient de traiter au plus tôt afin d'éviter les problèmes ultérieurs.

Il faut savoir que la circulation dans les jambes dépend du petit bassin. En effet, la veine porte part du foie, qui joue le rôle de régulateur de la quantité de sang. Quand on est constipé, par exemple, la circulation se fait moins bien car cette veine porte est comprimée. C'est ainsi que naît la sensation de jambes lourdes.

Les veines permettent le transport du sang vers le cœur (c'est ce qu'on appelle le retour veineux). La stagnation du sang dans les jambes, l'augmentation momentanée de son volume surchargent les veines, qui, ne possédant pas leurs propres muscles, deviennent moins toniques et ensuite se dilatent en formant les petites distensions locales visibles à l'œil : les varices veineuses. Les muscles voisins, en travaillant, aident les veines à propulser le sang vers le cœur. C'est pourquoi les exercices physiques sont très bénéfiques pour la circulation sanguine et améliorent le retour veineux.

Le fait de scléroser les veines, de couper un chemin veineux, ne soigne pas la cause du problème. Et si on le fait trop souvent, on réduit le réseau veineux restant et on diminue ainsi les capacités des veines profondes à propulser le sang. Cela peut à la longue aggraver la mauvaise circulation du sang dans les jambes.

Les hémorroïdes

Ces petites poches de sang qui se forment sur des veines de l'anus sont particulièrement douloureuses, et proviennent toujours de problèmes de circulation dans le petit bassin. Outre le bon fonctionnement du foie et des intestins, le tonus veineux joue un rôle très important. Pour le renforcer, une série de conseils s'imposent (voir la partie des conseils pratiques).

Les douleurs de rachis

Les lombalgies

C'est le classique mal de dos. Très fréquent, puisque 70 % d'entre nous en souffrent à un moment de leur vie. Dans neuf cas sur dix, il survient sans crier gare, sans que son origine soit réellement identifiée. Aucune anomalie n'est visible sur les radiographies. Qu'elle soit aiguë (comme un lumbago) ou chronique (un mal dans le bas du dos qui apparaît et disparaît régulièrement), la douleur cède en général très facilement aux antalgiques. Mais il faut s'attendre à ce qu'elle réapparaisse, après avoir porté un sac trop lourd, après une séance de jardinage et parfois même sans raison identifiable.

Ce sont des pressions sur les racines nerveuses qui sont la cause de ces douleurs. Il ne faut pas négliger la possibilité que la digestion – encore elle – soit à l'origine de ces pressions, ou encore que les douleurs trouvent leur source dans des problèmes gynécologiques non traités.

La colonne vertébrale forme l'axe vertébral de notre corps. Elle porte tout notre poids et permet d'avoir une bonne posture.

La colonne vertébrale est constituée de vertèbres et de disques intervertébraux – les petits cartilages – amortisseurs, qui se situent dans les espaces entre les vertèbres. Et tout l'axe est maintenu par les deux muscles qui descendent tout au long des deux côtés de la colonne vertébrale, de la base du crâne jusqu'au coccyx. Les douleurs lombaires ont des causes diverses.

D'une part, elles peuvent être dues à un gonflement des disques intervertébraux – les cartilages, qui retiennent facilement l'eau, comme des éponges. Dans ce cas, ils appuient sur la racine nerveuse qui part de la moelle épinière en surface dans l'espace intervertébral. La douleur apparaît donc à chaque mouvement. Or la quantité d'eau dans les disques dépend de l'équilibre entre les œstrogènes et la progestérone, donc un déséquilibre hormonal des hormones féminines provoque souvent des douleurs lombaires, qui peuvent s'aggraver en fonction du cycle menstruel.

D'autre part, la stagnation du sang dans le petit bassin, le ballonnement des intestins, la constipation favorisent la stagnation du sang dans la colonne lombaire et le gonflement des disques intervertébraux. Le ventre ballonné déséquilibre aussi l'axe vertical, tire la colonne vertébrale en avant, et cela fragilise les racines lombaires, qui deviennent moins stables face aux surcharges physiques, aux mouvements ou au port de sacs lourds. Là, les douleurs dites de stagnation sont différentes : elles surviennent surtout aux changements de position. Après les efforts, ces douleurs diminuent quand on « réchauffe les muscles » : le travail musculaire fait circuler le sang et diminue la stase (stagnation dans le petit bassin), les disques intervertébraux dégonflent donc et cela supprime la pression sur les racines nerveuses.

Douleurs cervicales et torticolis

Outre les mauvaises postures, la tension nerveuse due à la surcharge de travail peut occasionner les maux de dos. Les muscles se contractent et deviennent durs comme de la pierre. Un véritable « nœud émotionnel » se forme au creux du ventre et fait obstacle aux mouvements du diaphragme et à la bonne respiration.

UNE CONSULTATION

Quand Alexandra entre dans mon cabinet, je remarque tout de suite à la fois sa grande taille et son allure un peu courbée. Depuis son enfance, elle porte de grosses lunettes. Son teint est pâle, son visage fatigué, sûrement à cause du manque de sommeil. Quand je lui demande de tourner la tête, elle ne peut pas, ni à gauche ni à droite. À cause de sa vue défectueuse et de sa haute taille, Alexandra a pris de mauvaises postures et en paie le prix. Les raisons qui la poussent à venir me consulter sont classiques. À force de mal se tenir, son corps s'est crispé, ses muscles se sont contractés. Cette tension a fini par bloquer ses mouvements.

Or l'irrigation sanguine de la base du crâne est assurée par les deux artères vertébrales qui bordent, de chaque côté, la colonne vertébrale. Les contractures cervicales, les torticolis à répétition et les contractures qui s'ensuivent font donc obstacle à la bonne irrigation du cerveau. Ils diminuent l'oxygénation, perturbent le sommeil, l'équilibre, la mémoire et la concentration et provoquent des maux de tête. Heureusement, ces maux sont réversibles, à condition de s'en occuper tôt.

Les racines des nerfs au niveau des rachis cervicaux assurent l'innervation des muscles et l'articulation des bras, des épaules, des coudes, des poignets jusqu'au bout des doigts, un peu comme des fils électriques. On a mal au coude, ou à l'épaule, mais en fait la douleur prend son origine à distance, au niveau du cou.

Conseils pratiques

Masquer les effets néfastes de l'âge

Un lifting sans chirurgie

Se sentir bien dans son corps, c'est aussi contrer les effets du temps pour présenter toujours le meilleur visage.

Voici un domaine que j'ai découvert grâce à une de mes très chères amies médecin. Comme elle voulait tester l'efficacité « lifting » de l'acupuncture, elle s'était piqué de petites aiguilles sur la moitié gauche du visage pour pouvoir comparer avec le côté droit. Cela a si bien marché qu'elle a été saisie d'horreur en découvrant son visage dans la glace : elle avait l'impression qu'un côté était resté vieux tandis que l'autre avait pris un sérieux coup de jeune ! Elle a dû se précipiter pour vite planter quelques petites aiguilles sur le côté droit et récupérer son bel aspect de femme toujours jeune !

Si on réfléchit, le mécanisme est simple. Il suffit de se poser la question : pourquoi les enfants n'ont-ils pas de rides ? Pourquoi les impératrices chinoises n'avaient-elles pas de rides, elles non plus, tandis que, dans le peuple, les femmes étaient très ridées ?

La réponse est dans l'anatomie. Normalement, la peau est tendue entre les muscles, comme quand on tend le linge pour le faire sécher. Quand les muscles perdent leur souplesse, ils n'arrivent plus à tendre la peau complètement. Et quand ils s'affaissent un peu, la peau forme les rides. Le moyen le plus naturel est donc de stimuler les muscles pour qu'ils continuent de tendre la peau. C'est le mécanisme d'action du « lifting »

LES POINTS À MASSER POUR STIMULER LES MUSCLES DU VISAGE

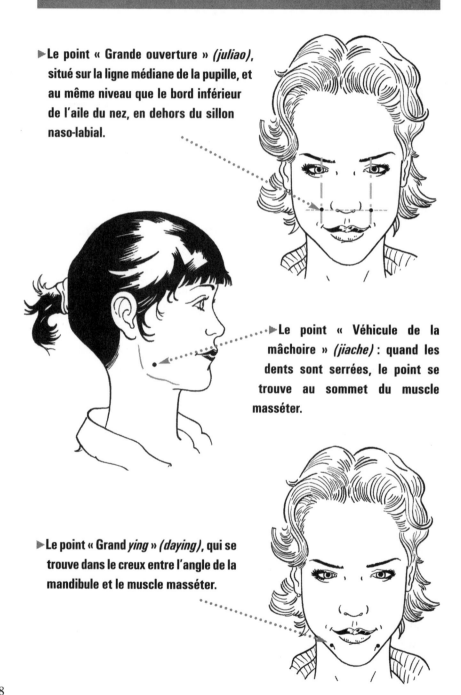

▶Le point « Grande ouverture » *(juliao)*, situé sur la ligne médiane de la pupille, et au même niveau que le bord inférieur de l'aile du nez, en dehors du sillon naso-labial.

▶Le point « Véhicule de la mâchoire » *(jiache)* : quand les dents sont serrées, le point se trouve au sommet du muscle masséter.

▶Le point « Grand *ying* » *(daying)*, qui se trouve dans le creux entre l'angle de la mandibule et le muscle masséter.

▶Le point « Grenier de la terre » *(dicang)*, situé des deux côtés du coin de la bouche.

▶« Éclat du *yang* » *(yangbai)*, situé à la verticale de la pupille, à un travers de doigt et demi (2 cm environ) au-dessus du milieu du sourcil.

▶Le point « Trou de la pupille » *(tongziliao)*, qui se trouve dans la dépression sur le bord latéral de l'orbite.

▶Le point « Rencontre avec le temple » *(yintang)*, juste au milieu de la ligne qui va d'un sourcil à l'autre.

d'acupuncture. Cet effet est physiologique et renforce le système naturel de l'organisme.

À noter : les piqûres de Botox ont un effet exactement contraire. Le Botox, toxine botulique, est une bactérie qui provoque la paralysie. Elle est utilisée à petite dose pour la paralysie locale des muscles. C'est donc le mécanisme inverse de l'acupuncture : dans un cas, on stimule les muscles qui tendent la peau, dans l'autre, on les paralyse afin qu'ils ne se détendent pas davantage.

Depuis que cette amie m'a raconté son aventure, chaque année, le jour de mon anniversaire, je pratique un « lifting par l'acupuncture ». Quand on le fait à l'ancienne, manuellement, il faut pendant deux heures tourner régulièrement les petites aiguilles implantées tout autour du visage pour obtenir une stimulation des muscles. Les traits se défroissent, se retendent, comme sous l'effet du bistouri. C'est spectaculaire, et tellement plus naturel que la chirurgie !

Maintenant, heureusement pour les praticiens, il existe des machines qui diffusent de petites ondes électriques et ainsi renforcent l'action des aiguilles.

Pendant des années, je n'ai pas pratiqué ce lifting, persuadée que ma vocation était de soulager les douleurs. Jusqu'à ce qu'un jour, une de mes patientes, que j'aimais beaucoup, m'avoue qu'elle allait se faire opérer car elle souffrait d'une descente d'organes. Cette intervention lui sabotait littéralement le moral. « Je me sens vieille et laide », me dit-elle. Je la trouvais si triste que je lui ai proposé, pour lui mettre un peu de baume au cœur, de lui faire mon petit lifting. L'effet a été tel qu'elle m'a confié avoir retrouvé un excellent moral et une nouvelle énergie pour affronter son opération.

Une assurance beaux cheveux

Un matin, on découvre quelques cheveux blancs dans le miroir et cela cause toujours un petit choc… Pas très agréable, n'est-ce pas ? Pourtant, ce signe est très commun. Surtout si les

LA CHUTE DES CHEVEUX

Ce phénomène est souvent dû à un désordre hormonal. Il est toujours plus prudent de consulter un médecin, qui fera pratiquer un *check-up* de la thyroïde.

La solution

On peut renforcer la résistance des cheveux grâce à trois remèdes naturels qui se complètent, à mener de front :

● Une cure d'iode. Cet oligoélément, à absorber en Oligosol, participe à la fabrication des hormones thyroïdiennes, accroît la résistance aux agressions externes, améliore la microcirculation au niveau du bulbe capillaire.

● Une cure de silice, connue pour renforcer les fibres capillaires.

● Une gélule de levure de bière, chaque jour, pour que les cheveux poussent et brillent.

parents ont blanchi eux aussi vers quarante ans. Cela signifie simplement que la synthèse de la mélanine, la substance responsable de la coloration des cheveux, est un peu moins performante. Si on souhaite ralentir autant que possible ce processus, on peut se fier à la tradition médicale chinoise. Selon elle, la chevelure appartient au méridien des poumons, donc à la sphère aérienne. Cela n'est guère étonnant, puisque l'on sait aujourd'hui que la tige capillaire se dépigmente en formant des petites bulles d'air. Ces bulles s'installent à l'intérieur des cheveux et empêchent la pénétration de la mélanine. Cela explique aussi pourquoi un gros stress « blanchit » les cheveux très rapidement. Dans l'histoire russe, on connaît le cas de jeunes femmes emprisonnées par Staline pour des raisons politiques, séparées de leurs enfants brutalement, dont les cheveux ont blanchi en une seule nuit. La médecine traditionnelle chinoise offre une explication simple : l'angoisse blesse le méridien des poumons. D'un seul coup, les bulles d'air à l'intérieur des cheveux coupent le passage de la mélanine et les dépigmentent.

Aider son organisme à se sentir léger...

Des jus de fruits, une fois par semaine

Puisque l'élimination se fait moins bien, que le métabolisme ralentit, il faut agir. Grâce à la « détox » que représente une journée où l'on ne boit que du jus de fruits, on nettoie son tube digestif, on met son foie et son estomac au repos, on inonde son organisme de précieuses vitamines, on recharge les cellules du cerveau en bon sucre indispensable. Et on garde la ligne. Le calcul est simple : une journée de jus apporte à peine 200 à 300 calories, ce qui fait sacrément baisser la moyenne de la semaine ! En plus, contrairement à ce que l'on imagine d'habitude, une journée de détox ne fatigue pas, mais rend plus léger.

Le jus d'ananas présente des caractéristiques qui le rendent particulièrement intéressant. Ce fruit est gorgé de vitamine C

QUELQUES RECETTES

Ananas-gingembre	Délice tropical	Bonne mine
1/2 ananas,	1/4 d'ananas,	500 g de betterave,
3 oranges,	1/4 de melon,	1/4 de melon,
4 belles rondelles de	1 papaye,	2 cuillerées à soupe de
gingembre frais.	1 mangue.	poudre de gingembre,
Ananas-kiwi-menthe	**Aux légumes**	2 cuillerées à soupe de
1/2 ananas pelé,	6 carottes,	feuilles de menthe.
6 kiwis pelés,	1 grosse pomme,	**Bonne mine encore**
5 feuilles de menthe,	4 branches de céleri,	1 kg de carottes,
2 belles rondelles de	6 feuilles de laitue,	4 tomates,
gingembre.	20 feuilles d'épinards.	1 citron pelé,
		10 g de basilic.

(une portion de 150 g d'ananas en apporte plus de 27 mg, soit plus du tiers de l'apport quotidien conseillé), de vitamine A, de vitamine E, qui se marie à la vitamine C pour un effet antioxydant. De plus, l'ananas contient du potassium, du sodium, du manganèse, du phosphore… Et surtout, c'est un fruit qui transforme le pH acide de la nourriture en pH alcalin. Or l'acidité favorise le vieillissement et peut générer, à long terme, de nombreuses maladies. C'est un véritable nectar de jouvence, idéal pour garder de l'énergie sans prendre un gramme.

Pour renforcer encore ses bienfaits, on peut lui ajouter du jus de gingembre. Cette plante que l'on trouve maintenant facilement, fraîche, chez les marchands de légumes est un tonique extraordinaire. Elle stimule les sécrétions gastriques et, grâce à ses qualités antiseptiques, débarrasse le tractus digestif des microbes et bactéries nocifs. Mais, surtout, elle « réchauffe » l'organisme : elle stimule la circulation du sang et accélère le métabolisme. Résultat : on digère mieux, et on « brûle » mieux. Bref, c'est le meilleur des amincissants !

Aider la digestion

Nous l'avons vu, le ralentissement des fonctions digestives a beaucoup d'effets secondaires dans différents domaines. Pour se sentir bien, on peut suivre des règles simples qui aideront les intestins à faire leur travail.

D'abord, il faut manger des fibres à tous les repas. Fruits et légumes doivent tenir la vedette. Sous forme de jus, il est plus facile d'en consommer en quantité (un verre de jus de fruits fraîchement mixés représente l'essence de quatre fruits frais). Et le soir, on peut faire tremper cinq gros pruneaux dans un verre d'eau tiède. Le jus et les pruneaux avalés le matin, avant le petit déjeuner, seront très efficaces.

Ou encore, si on en a le courage, on peut avaler une cuillerée à soupe d'huile d'olive à jeun, et continuer par un verre d'eau chaude et une pomme.

LES POINTS À STIMULER POUR LE TRANSIT

Pour accélérer le transit [1], massez plusieurs fois par jour :

▶ Les deux points symétriques « Trois distances de la jambe » ou « Point de l'énergie vitale » *(zusanli)*, qui se trouvent à quatre travers de doigt au-dessous du genou (à l'endroit où s'arrêtent les petites rugosités de la peau) et à un travers de doigt vers l'extérieur.

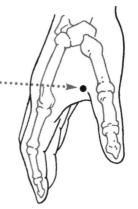

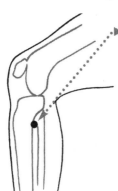

▶ Les deux points « Source de la colline ensoleillée » *(yinlingquan)*, à masser sur la face interne de la jambe, un peu au-dessous du genou, dans le creux entre la tête du tibia et le muscle du mollet.

▶ Le point « Gueule de tigre » *(hegu)*, sur chaque main, dans l'espace entre la première et la deuxième articulation métacarpienne (entre le pouce et l'index).

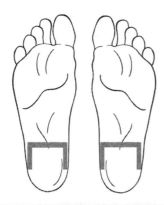

▶ Sur la plante des pieds, la zone du gros intestin se situe juste au-dessus du talon.

Les plantes indiquées

▶ Les graines de psyllium : deux cuillerées à café dans un grand verre d'eau, pendant deux ou trois jours. Leur effet laxatif permet de décoller les matières sèches qui encombrent les parois des intestins, depuis des années, comme des vestiges archéologiques, pour repartir sur du neuf.

▶ Le romarin en infusion, parce que cette plante stimule le fonctionnement de la vésicule biliaire, et la motricité du côlon.

En complément alimentaire

▶ Un comprimé de probiotiques à jeun : les probiotiques permettent le développement d'une bonne flore intestinale, indispensable à la digestion et à l'élimination des toxines.

▶ Le sulfate de magnésium (en ampoules), connu aussi sous le nom de sel d'Epsom, stimule la motricité du côlon.

Bougez, respirez !

Bougez, vous éliminerez. La stimulation de la motricité du gros intestin, comme celle des muscles, dépend de votre entraînement physique. Marchez, courez, grimpez les escaliers, faites de la gymnastique, votre digestion s'améliorera ! La respiration abdominale, elle aussi, est efficace, car elle permet un massage interne des intestins, qui va les aider à retrouver une motricité satisfaisante :

▶ Posez vos deux mains sur le ventre. En inspirant, gonflez le ventre comme un ballon, en repoussant vos mains. En expirant, appuyez doucement sur le ventre avec les mains jusqu'au maximum. Répétez l'exercice vingt-quatre fois.

Enchaînez avec une respiration abdominale forcée :

▶ En inspirant, poussez le ventre avec les mains jusqu'au point maximal, comme si vous vouliez toucher votre colonne vertébrale. Expirez, gonflez le ventre en repoussant les mains. Répétez quatorze fois.

Quand il faut perdre du poids...

Juliette, une femme très active, âgée de quarante-deux ans, commence à se sentir mal dans sa peau : elle a pris du poids et n'arrive pas à maigrir, malgré tous les régimes draconiens qu'elle s'impose. Elle fait constamment le Yo-Yo : dès qu'elle réussit à perdre deux kilos, elle en reprend trois au bout de quelques semaines. En fait, n'éliminant pas bien, elle « garde » les calories.

Juliette est désespérée : « Il suffit que je boive un verre d'eau pour que je prenne un kilo ! Je garde tout, tout me profite ! Avant, je pouvais manger n'importe quoi et je restais mince comme un fil ! »

Le métabolisme de Juliette a tout simplement changé, comme nous l'avons vu. Il faut qu'elle prenne de nouvelles habitudes.

Il vaut mieux le faire dès maintenant, car, une fois la ménopause déclarée, il est beaucoup plus difficile de perdre du poids.

Étape n° 1 : détoxifier l'organisme

Tous les filtres du corps sont bouchés par les toxines, il faut avant toute chose faire un bon nettoyage. Pour cela, il faut en passer par une hydrothérapie du côlon, une pratique certes peu agréable, mais totalement nécessaire, avant de commencer le régime. Il s'agit d'un lavement, pratiqué dans certains cabinets de kinésithérapie.

Étape n° 2 : déclencher la perte de poids

L'hiver, l'organisme a besoin de se réchauffer. Et on le recharge, un peu comme une cheminée. Or 1 g de gras apporte 9,3 calories et 1 g de sucre 4,3 calories. Il vaut donc mieux commencer sa cure d'amaigrissement en été, pendant les vacances. Comme on va peu manger, il faut assurer à son organisme les apports en vitamines sous forme de compléments alimentaires.

Chaque matin, prenez une gélule de complexe vitaminique.

Pendant les trois premiers jours, les repas ne seront composés que de jus de légumes (on fait une soupe et on boit le bouillon) et de jus de fruits. À midi, on peut ajouter un sachet de protéines (en vente en pharmacie et dans les magasins de régime). Mais il faut se méfier des régimes hyperprotéinés, dans la mesure où les protéines animales sont très acides pour l'organisme. Comme nous l'avons vu, l'acidité détruit la flore intestinale et, à terme, provoque la formation de cristaux qui peuvent se manifester sous forme de calcul (rénal) ou dans les articulations et engendrer de l'arthrose.

Après les trois premiers jours, on continuera à boire beaucoup de bouillon et de jus de fruits, mais on dégustera aussi les légumes de la soupe. Si on a faim en cours de journée, on peut grignoter une pomme ou une poire.

Étape n° 3 : adopter la vitesse de croisière

Le régime qui suit devrait presque devenir une habitude alimentaire. Essayez de vous y tenir, vous ne prendrez plus de poids. C'est ce que je fais depuis des années et je n'ai pas pris un gramme.

Suivons un vieux proverbe russe : « Ton petit déjeuner, mange-le entièrement tout seul. Le déjeuner, partage-le avec ton ami. Et le dîner, donne-le à ton ennemi ! »

Au petit déjeuner : un bol de « proticéréales » (avoine, blé complet) dans du lait de soja, un ou plusieurs fruits, un café.

Au déjeuner : un poisson avec des légumes verts.

Au goûter : une pomme, une clémentine…

Au dîner : juste un potage de légumes et un peu de fruits, ou bien, de temps en temps, une part de poulet, de viande blanche ou encore de poisson accompagnés de carottes, courgettes, chou-fleur à la vapeur.

Quand on a atteint son poids de forme, on peut manger du riz complet, des céréales en tout genre, des laitages en petites quantités. Les céréales complètes sont plus intéressantes, car elles sont pleines de fibres et donc beaucoup plus digestes. Ces bonnes habitudes doivent devenir un véritable mode de vie. Il ne s'agit pas de faire attention pendant une période et de reprendre ses mauvais réflexes ensuite, même s'il est parfois difficile de changer ainsi ses habitudes. En particulier lorsqu'on mange souvent dehors, au restaurant, avec des amis.

Étape n° 4 : faire du sport

Il n'est pas bon d'être trop sportive quand on est en surpoids. Les femmes abandonnent vite leurs bonnes intentions quand elles n'ont guère de goût à se mettre en maillot de bain ou en tenue de gymnastique. Et, surtout, des exercices violents peuvent fatiguer le cœur, endommager les vertèbres, provoquer une usure des articulations.

En revanche, dès que l'on est sur le bon chemin de l'amincissement, le sport est bénéfique. Trois séances de trente minutes par semaine suffisent pour conserver les muscles. Au début, il est bon de faire des exercices doux, dans l'eau. La natation est idéale. Elle permet de faire perdre des calories en « apesanteur » sans peser sur les articulations. Certes, la piscine n'est pas toujours agréable en hiver. Le chlore abîme la peau et les cheveux. Un séjour en thalassothérapie ou dans un Spa au moins une semaine en hiver est idéal pour retrouver ou garder la forme. L'eau de mer est chaude et on a tout sur place pour donner goût à l'exercice physique.

Si l'on n'apprécie guère les exercices en extérieur, ou si notre emploi du temps s'y oppose, on a encore le choix du rameur ou du vélo d'appartement. Ces appareils sont extrêmement pratiques pour les femmes qui manquent de temps, car ils permettent d'économiser le temps de transport jusqu'à un club de gym.

On peut donner un petit coup de pouce à son travail musculaire en complétant, pendant un mois, son régime avec du L-cartinine. Cet acide aminé aide à « faire du muscle » et à éliminer la graisse, car il a la capacité de transformer les tissus graisseux, les lipides et le cholestérol en masse musculaire. Mais attention, cette substance n'est active que si vous faites au moins vingt minutes d'exercice trois fois par semaine.

Le cardio-training est aussi un moyen efficace de perdre du poids en renforçant la masse musculaire et en augmentant le

LA DANSE DU DRAGON

Un autre « truc », la « danse du dragon », est un exercice taoïste qui était utilisé traditionnellement par les femmes pour avoir une jolie silhouette. Position debout, les deux mains serrées devant la poitrine, les deux genoux serrés et légèrement pliés. Ramenez les deux mains devant l'épaule gauche, et simultanément tournez les deux genoux à droite, pour que le corps forme une spirale. Ensuite, ramenez les deux mains vers l'épaule droite, et simultanément pliez les genoux un peu plus, en les tournant à droite. Répétez ces mouvements plusieurs fois, en pliant les genoux de plus en plus bas, jusqu'à toucher terre. Ensuite, en répétant les mêmes mouvements, remontez, petit à petit, jusqu'à la position de départ. Répétez la « danse du dragon » plusieurs fois. Commencez par trois fois, et ensuite augmentez jusqu'à atteindre le nombre correspondant à votre âge.

métabolisme de base, et c'est aussi un bon entraînement du myocarde – l'un des plus grands muscles du corps. Pour être efficace, le cardio-training ne doit pas se pratiquer toujours à la même vitesse : après cinq minutes de marche rapide, il faut passer quinze à vingt minutes en changeant de rythme : augmentation de l'effort jusqu'à 150-160 battements du cœur par minute et ensuite ralentissement jusqu'à 130-140. On finit l'exercice avec cinq à dix minutes de marche tranquille – la récupération. Pour qu'il soit efficace, il faut faire du cardio-training trois fois par semaine.

Les plantes et les minéraux

Différentes algues ont une action bénéfique sur la vitesse du métabolisme et diminuent l'appétit : chlorelle, spiruline, fucus, *Garcinia*.

Il ne faut pas oublier les minéraux. Ainsi, par exemple, le zinc joue un rôle important dans le métabolisme de l'insuline, dans la régulation de l'appétit et dans la dégradation des tissus adipeux.

Le chrome a aussi une action bénéfique dans la régulation du métabolisme du glucose [2].

TROIS CONSEILS POUR RÉUSSIR

● Se passer du sel, qui favorise la rétention d'eau et vous fait gonfler comme une éponge.

● Boire beaucoup, des tisanes de prêle surtout, pour aider à drainer les toxines.

● Prendre une supplémentation en chrome (un ou deux comprimés par jour) : il diminue les pulsions sucrées [2], et régularise l'insuline, une hormone qui assure le stockage des graisses et des sucres. Il faut savoir, en effet, qu'après un repas trop riche, le pancréas, débordé, sécrète de l'insuline en excès. Cela provoque, par la suite, une hypoglycémie. La sensation de faim revient donc, et pousse à grignoter. D'où une nouvelle sécrétion d'insuline : c'est un cercle vicieux...

LES POINTS POUR CALMER LA FAIM

Il est certain que dans les premiers temps, on risque d'avoir faim, car on a perdu l'habitude de manger léger. L'efficacité des points d'acupuncture [3] pour calmer la faim a été démontrée.

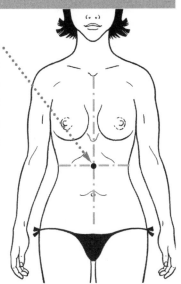

▶Le point « Milieu de l'estomac » *(zhongwan)*, qui se trouve sur la ligne médiane de l'abdomen, à mi-distance entre le nombril et l'appendice osseux qui termine le sternum, à masser dans le sens des aiguilles d'une montre, à chaque fois qu'un petit creux se fait sentir.

▶Sur l'oreille, le très célèbre « Point de l'appétit » se situe en avant du lobe, juste au milieu du tragus. Stimulez-le avec une pointe de stylo le plus souvent possible.

Éviter l'hypothyroïdie

Nous l'avons vu, les sécrétions de la thyroïde, si elles sont trop faibles, ont un impact sur la prise de poids. Pour éviter cela, on peut consommer des ampoules d'iode (en pharmacie). Marcher au bord de la mer ou manger des algues sont de très bonnes façons de se recharger. C'est primordial pour que la thyroïde joue son rôle de filtre de l'organisme.

LES POINTS EFFICACES POUR L'AMAIGRISSEMENT

▶ Le point « Alarme du gros intestin » *(tianshu)*, qui se trouve des deux côtés du nombril, sur la ligne verticale des mamelons.

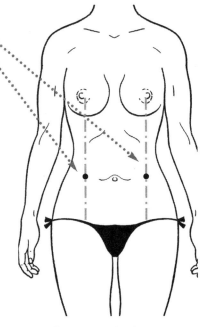

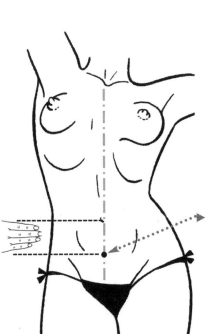

▶ Le point « Ouverture de la source » *(guanyuan)*, situé sur la ligne médiane du bas-ventre, à quatre travers de doigt au-dessous du nombril.

▶ Les deux points symétriques « Trois distances de la jambe » ou « Point de l'énergie vitale » *(zusanli)*, qui se trouvent à quatre travers de doigt au-dessous du genou (à l'endroit où s'arrêtent les petites rugosités de la peau) et à un travers de doigt vers l'extérieur.

▶ Le point « Grande capitale » *(dadu)*, situé sur le bord intérieur du pied, à la base du gros orteil, dans le creux en avant et au-dessous de la première articulation métatarsophalangienne.

▶ Le point « Grand éclat » *(taibai)*, qui se trouve sur le côté du pied, à la base du gros orteil, juste au-dessous de l'articulation proéminente.

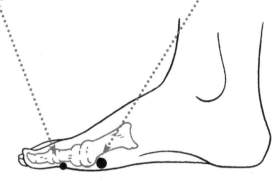

LES POINTS AURICULAIRES

La stimulation des points auriculaires est aussi très efficace pour la perte de poids [4]. De nombreux travaux scientifiques ont démontré qu'elle diminuait l'appétit en agissant sur le centre de l'appétit dans l'hypothalamus, mais aussi qu'elle réduisait le volume de l'estomac en stimulant le tonus de ses muscles.
Il faut stimuler les points :

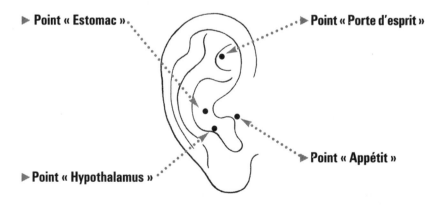

▶ Point « Estomac »

▶ Point « Porte d'esprit »

▶ Point « Hypothalamus »

▶ Point « Appétit »

Les conséquences
d'une mauvaise circulation

Rappelons que les jambes qui deviennent lourdes sont une conséquence d'une mauvaise circulation du sang, avec les varices et les hémorroïdes. Il est très important de traiter ces symptômes rapidement, grâce à des gestes simples qui éviteront des ennuis ultérieurs.

Les jambes lourdes

Les bons gestes

► Stimuler la circulation du sang sous la douche par de petits jets alternant l'eau chaude et l'eau froide. Attention, ce n'est pas le froid qui renforce la paroi veineuse, mais le contraste de température qui stimule les thermorécepteurs dont elle est émaillée et ainsi la tonifie. Il faut passer le jet très vite pour faire un chaud et froid rapide.

► Porter des bas de contention en avion, quand on fait des courses, bref, le plus souvent possible.

En revanche, il faut éviter une opération des varices, à moins que la veine ne soit complètement inopérationnelle. En effet, une sclérose de la veine dérive naturellement le sang vers le réseau plus profond, qu'il surcharge et dilate à son tour. Cela peut être l'occasion de troubles et d'œdèmes beaucoup plus graves.

Les cures à faire

► Le ginkgo biloba tonifie la paroi des vaisseaux sanguins.

► La rutine arrête les petits saignements dans les microvaisseaux et stabilise la résistance de leurs parois.

► En été, une cure de rutine, de vitamine C (500 à 1 000 mg par jour), ainsi que deux comprimés de calcium 500, l'un à absorber le matin, l'autre le soir, pour stabiliser la résistance des parois des artères.

Les hémorroïdes

Il ne faut pas oublier que les veines hémorroï-daires sont une branche de la veine porte qui part du foie pour conduire le sang vers le petit bassin. Le gonflement de ces veines est dû à un mauvais fonctionnement du foie ou à une constipation. Un acupuncteur vietnamien soignait des hémorroïdes très volumineuses et très douloureuses en posant une unique aiguille sur le point « Réunion des cent » *(baihui)*, qui se trouve au sommet du crâne, juste au milieu de la ligne reliant le sommet des pavillons des oreilles. Ce point régule en effet toute la

Baihui

LES POINTS À STIMULER POUR LA CIRCULATION DU SANG

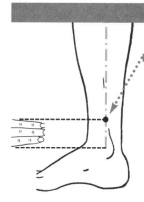

➤ Le point « Réunion des trois *yin* » *(sanyinjiao)*, situé sur la face interne du mollet, à trois travers de doigt au-dessus du point le plus proéminent de la malléole interne.

➤ Le point « Source de la colline ensoleillée » *(yinlingquan)*, vous le sentirez sur la face interne de la jambe, un peu au-dessous du genou, dans le creux entre la tête du tibia et le muscle du mollet.

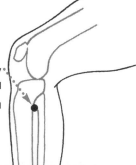

circulation sanguine dans le petit bassin. On peut le masser deux ou trois minutes plusieurs fois dans la journée.

En cas de crise

▶ Consulter un médecin qui prescrira des médicaments adaptés.
▶ Faire couler de l'eau froide sur l'anus après les selles pour tonifier les veines hémorroïdales.
▶ Prendre du marron d'Inde et du ginkgo biloba : une gélule dans la nourriture trois fois par jour. Attention, les épices et l'alcool favorisent la formation des hémorroïdes.

Pour prévenir la récidive : faire l'exercice du cerf…

En Chine, les légendes racontent que ce bel animal contracte souvent l'anus. C'est pourquoi les médecins appellent « exercice du cerf » la contraction de l'anus (comme si on voulait remonter son rectum). Pratiquez-le le plus souvent possible – au feu rouge quand vous êtes en voiture, au bureau… Il suffit de tenir quelques instants en inspirant puis de relâcher en expirant.

Les cures à faire

▶ Le marron d'Inde et le ginkgo biloba améliorent la circulation sanguine et la plasticité des parois veineuses, de même que les probiotiques.
▶ Supprimer le tabac, qui abîme les vaisseaux sanguins et augmente la viscosité du sang (voir les conseils pratiques en annexes).

Stimuler le foie pour éviter les crampes

Nous avons vu que le muscle peut s'asphyxier à cause de l'acide lactique qu'il fabrique en trop grandes quantités lors du travail musculaire. C'est cet acide lactique qui provoque la douleur. Et la seule substance capable de le détruire est une enzyme, la lactase déshydrogénase, fabriquée par le foie.

En période d'efforts sportifs, il faut manger une banane plusieurs fois par semaine. C'est un fruit riche en fer et en cuivre, deux oligoéléments indispensables à la fixation de l'oxygène par les globules rouges. Ils aident aussi à la formation dans le foie de l'enzyme capable de détoxifier l'acide lactique, ce qui leur permet de prévenir les crampes et la fatigue musculaire.

▶ En période de crise, en cure préventive avant l'effort, ou lorsque la douleur est lancinante, l'homéopathie est conseillée. On peut utiliser la forme homéopathique du cuivre – *Cuprum* en 5 ch –, trois granules quatre ou cinq fois par jour.

▶ Pour faire céder la douleur, masser immédiatement le point des « Grandes montagnes » *(chengshan)*, situé sur la partie haute du muscle du mollet.

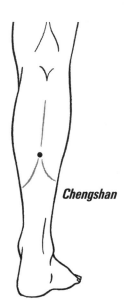

Chengshan

Combattre les douleurs de rachis

L'HISTOIRE DE LA TORTUE

Ce mouvement s'attache à une vieille légende taoïste : il y a très longtemps, dans les hautes montagnes des contreforts de l'Himalaya, à la suite d'une avalanche, une famille se retrouva bloquée dans une grotte. Manquant vite d'air et de nourriture, tous ses membres virent leur mort approcher, quand ils remarquèrent une tortue, si immobile qu'ils l'avaient d'abord confondue avec une pierre. Comment avait-elle pu si longtemps survivre dans cette grotte ? En l'observant, ils virent la tortue sortir très lentement la tête hors de sa carapace, l'étirer vers une goutte d'eau dégoulinant de la paroi, laper le liquide, puis lentement rentrer à nouveau la tête dans sa carapace. Toute la famille se mit alors à imiter l'animal. La légende dit que grâce à ce simple exercice, la famille survécut des années, jusqu'à ce que tous soient libérés par des montagnards qui passaient par là !

LES EXERCICES

▶ « LA TORTUE » : abaissez le menton sur la poitrine en étirant bien le sommet du crâne vers le haut. Inspirez lentement. En expirant, ramenez le crâne en arrière. Étirez le menton et la gorge vers le haut. En inspirant, ramenez le menton dans la position de départ. Répétez ce cycle douze fois.

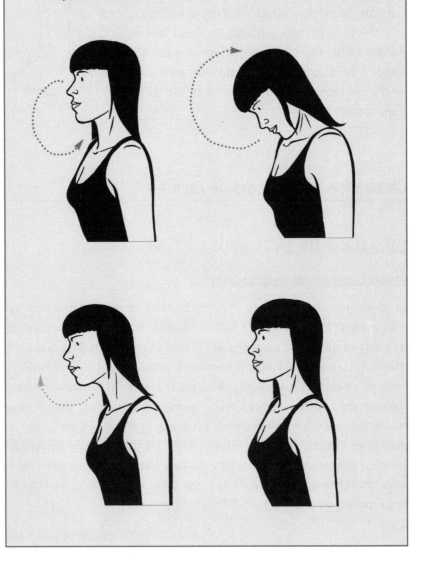

▶ **« LA GRUE »** : faites les mouvements précédents dans l'autre sens. En inspirant, inclinez la tête en arrière, menton tendu vers le haut. Expirez lentement, avec le menton tendu vers l'avant, faites un cercle en tendant ensuite votre menton vers le bas. Répétez ce mouvement douze fois.

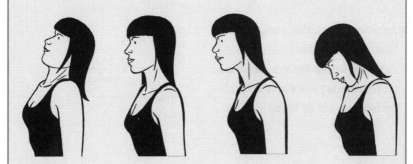

▶ **« LE REGARD À L'INFINI »** : mouvement très efficace pour garder la souplesse du cou et augmenter sa mobilité. En position debout, portez le regard sur l'horizon. En inspirant lentement, sans bouger le corps, tournez la tête à gauche, le plus loin possible, en gardant le regard porté sur l'infini. Expirez en revenant à la position initiale. Faites le même mouvement vers la droite. Répétez-le plusieurs fois dans la journée.

LES POINTS À STIMULER CONTRE LES DOULEURS DE RACHIS

Pour calmer les douleurs du cou et le torticolis, massez plusieurs fois dans la journée, pendant deux ou trois minutes, les points suivants :

▶ Le point « Ruisselet d'en arrière » *(houxi)*, qui se trouve sur le bord extérieur de l'auriculaire, au niveau du pli entre la paume et le doigt qui se forme quand on ferme le poing.

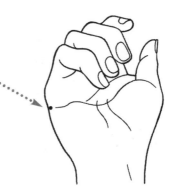

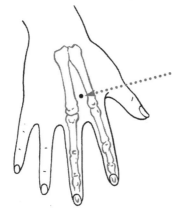

▶ Le point « Cou raide » *(luozhen)*, situé sur le dos de la main, dans le creux entre l'index et le majeur.

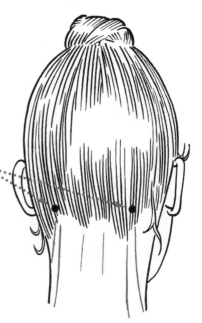

▶ Le point « Souffle du vent » *(fengchi)*, qui se trouve dans la dépression juste derrière chaque oreille, entre le cou et la base du crâne.

SUR LA PLANTE DES PIEDS

▶ La zone correspondant aux vertèbres cervicales se trouve sur le bord interne du gros orteil. Il suffit de la masser quelques minutes tous les jours, le matin et le soir.

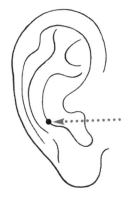

DANS L'OREILLE

▶ Réchauffez les points auriculaires « vertèbres cervicales » et « cou » en massant avec une pointe de stylo pendant deux ou trois minutes.

EN SAVOIR PLUS
SUR L'AURICULOTHÉRAPIE

Reconnue par l'Organisation mondiale de la santé (OMS) depuis 1987, l'auriculothérapie est une méthode qui utilise le pavillon de l'oreille pour diagnostiquer et soigner. Selon les auriculothérapeutes, le pavillon de l'oreille est une « carte de géographie » du corps, chaque zone de l'oreille correspondant à une partie du corps ou à un organe. Les spécialistes peuvent donc y lire les différents points déréglés et trouver la zone de commande qui permet une action thérapeutique. Le traitement consiste à stimuler les points : on peut les masser avec une pointe mousse, appliquer des petites billes, les piquer avec des aiguilles d'acupuncture classiques, ou encore y fixer des mini-aiguilles qui restent en place quelques jours et tombent toutes seules.

Les tendinites du coude

LES POINTS À STIMULER CONTRE LES TENDINITES

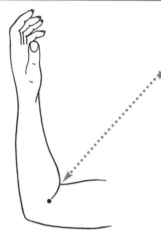

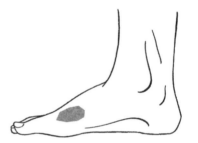

▶ Le point « Étang sur la courbure du coude » *(quchi)*, situé à l'angle externe du pli du coude, lorsque le coude est fléchi.

SOUS LA PLANTE DES PIEDS

▶ Comme pour le torticolis, massez la zone réflexe des vertèbres cervicales, sur le bord interne du gros orteil.

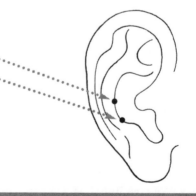

DANS L'OREILLE

▶ Les points auriculaires « cou » et « vertèbres cervicales » sont à réchauffer avec une pointe de stylo pendant quelques minutes.

LES EXERCICES

▶ « Le Tigre déplace des montagnes », voici le nom prometteur de cet exercice : en position debout, inspirez en remontant les deux bras à hauteur de la poitrine. Expirez lentement en fléchissant les coudes et en poussant les deux bras vers l'avant, comme si vous repoussiez un grand ballon. Avec une nouvelle grande inspiration, descendez lentement les bras. Enchaînez cet exercice une dizaine de fois.

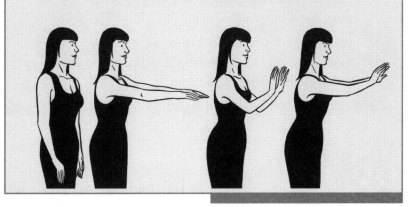

Les lombalgies

L'alimentation

Il faut absolument éviter le café et l'alcool pendant toute la durée de la crise car ces boissons favorisent les contractures musculaires. Au contraire, le thé chaud et le miel sont indiqués pour calmer la douleur.

Le bon geste

Pendant la crise, et au moins pendant deux ou trois jours ensuite, portez une ceinture lombaire souple qui soulagera le travail des vertèbres. Dormez avec cette ceinture si possible. Ensuite, même si vous ne souffrez plus, révisez le contenu de votre sac. Je vous rappelle qu'il ne faut jamais porter plus de deux kilos…

L'osthéopathie est un très bon complément dans le traitement des douleurs lombaires.

LES POINTS À STIMULER CONTRE LES LOMBALGIES

Plusieurs travaux scientifiques ont démontré que les points d'acupuncture étaient très efficaces dans le traitement des lombalgies, notamment en complément des traitements classiques [5].

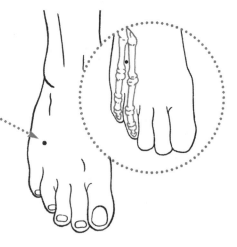

niveau
du nombril

▶ Les « Points des reins » *(shenshu)* : ils se trouvent en bas du dos, de chaque côté de la colonne vertébrale, à trois travers de doigt à l'extérieur de l'espace entre la deuxième et la troisième vertèbre lombaire (partez du nombril et faites le tour jusqu'à votre colonne vertébrale, vous tomberez juste entre la deuxième et la troisième vertèbre lombaire).

▶ Le point « Œil qui pleure » *(zulinqi)* se situe sur le pied, dans l'espace entre le quatrième et le cinquième métatarsien (entre le petit orteil et l'orteil voisin).

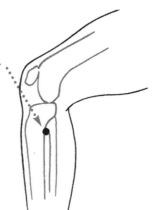

► Le point « Source de la colline ensoleillée » *(yinling-quan)*, vous le sentirez sur la face interne de la jambe, un peu au-dessous du genou, dans le creux entre la tête du tibia et le muscle du mollet.

DANS L'OREILLE

Là encore, des études ont été faites [6].

Aussi longtemps que la douleur persiste, on peut fixer avec un petit sparadrap un grain de riz pour assurer un appui. Ou, si l'on préfère, on peut masser ces zones avec la pointe d'un stylo :

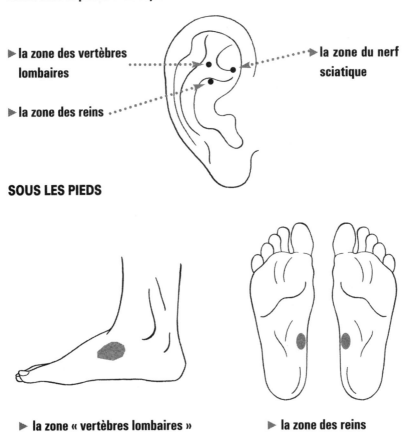

► la zone des vertèbres lombaires

► la zone du nerf sciatique

► la zone des reins

SOUS LES PIEDS

► la zone « vertèbres lombaires »

► la zone des reins

Les plantes indiquées

La prêle et l'harpagophytum, en gélules, soulagent la douleur, diminuent l'inflammation et réduisent l'œdème.

LES EXERCICES

▶ Soutenez vos vertèbres et les muscles du bas du dos en portant une ceinture lombaire nuit et jour, pendant plusieurs jours.

▶ Quand vous vous sentirez plus vaillante, vous pourrez pratiquer des étirements. Tenez-vous debout, dos à une échelle (ou toute autre barre où vous pouvez vous suspendre). Mettez-vous sur la pointe des pieds et attrapez le barreau le plus haut. Prenez une inspiration, étirez-vous le plus haut possible sur la pointe des pieds. Puis expirez, lentement, en touchant le sol avec les talons, sans relâcher la barre. Retenez votre souffle pendant trente secondes. Inspirez en vous mettant sur la pointe des pieds, etc. Répétez cet exercice une trentaine de fois.

À retenir

La décennie de quarante à cinquante ans est une période clé, où prendre de bonnes habitudes devient indispensable pour entamer l'avenir de manière sereine et épanouie. Jusqu'à quarante ans, il n'y a rien de définitif dans les maux non encore traités, les mauvaises habitudes alimentaires, les kilos superflus, les douleurs de rachis… Une fois la décennie suivante entamée, cela deviendra plus difficile. C'est pourquoi il faut s'occuper de soi dès à présent, en compensant notamment le ralentissement du métabolisme grâce à une limitation des apports énergétiques, et en renforçant les défenses immunitaires.

LES BONS GESTES

À prendre tous les matins :
- une gélule de probiotiques (voir p. 51). Un cocktail de vitamines A, E, C et de sélénium, et une capsule d'oméga 3 un mois sur deux ;
- en hiver : une gélule d'éleuthérocoque (voir carte d'identité p. 43) pour mieux s'adapter au stress de la mauvaise saison, prévenir la fatigue, et stimuler les défenses contre les virus ambiants. Au printemps et en été, une gélule de prêle pour stimuler les reins et éviter la rétention d'eau.

Chaque jour :
- masser les zones des reins sur les pieds, le matin, avant d'enfiler collants ou chaussettes. Cela stimule les grandes surrénales, renforce les défenses immunitaires, la résistance à la fatigue et au stress, et stimule le fonctionnement du système urogénital : les reins, les ovaires, l'utérus ;
- masser les seins, trente fois dans un sens, vingt-quatre fois dans l'autre, pour faire circuler la lymphe.

Une fois par semaine :
- se peser ;
- faire une cure « détox » 100 % jus de fruits.

Trois fois par semaine :
- faire trente minutes de cardio-training.

50 à 60 ans
La ménopause,
pas de panique !

Il y a quelques années, j'ai participé au Congrès d'immunologie à l'université George-Washington aux États-Unis. J'y ai fait la connaissance de Linda, la femme du président d'une des chaires universitaires, elle-même médecin et professeur d'immunologie. Linda, à cinquante-cinq ans, était une très jolie femme, avec les cheveux bruns et un menton fort qui laissait deviner son caractère bien trempé. Sa voix était claire et déterminée – on reconnaissait un professeur d'université ayant l'habitude de donner des cours aux étudiants.

Pendant la soirée de clôture du congrès, qui avait lieu dans la maison de Linda et de son mari aux alentours de Washington, j'ai remarqué qu'elle avait l'air fatiguée et agacée. De temps en temps, elle disparaissait, laissant les invités aux bons soins de son époux.

Nous sommes passés dans le jardin pour le dîner. De nombreuses tables rondes étaient installées autour d'une magnifique piscine, ornée de fleurs et de bougies, qui naviguaient sur la surface d'eau sur des feuilles de lotus. Il faisait déjà nuit, et le jardin paraissait magique. Linda et son mari allaient d'une table à l'autre pour dire quelques mots à chacun. En arrivant à notre table, Linda m'a félicitée chaudement pour mon intervention, et elle m'a demandé si, après le dîner, je pouvais rester un peu plus tard que les autres invités, pour discuter avec elle. Bien sûr, j'étais ravie.

Quand tous les invités furent partis, elle m'a conduite dans son bureau. Et soudain, elle a fondu en larmes :

« Je suis désolée de demander votre aide, surtout si tard le soir, mais je n'ai pas d'autre solution. Depuis environ un an, je souffre de troubles hormonaux, liés, sûrement, à la ménopause, qui m'empêchent de vivre. Moi qui étais d'habitude si forte et jamais malade, je suis la proie d'angoisses, d'insomnies et, surtout, de terribles bouffées de chaleur. Vous avez sûrement remarqué mes absences au cours de la soirée ? C'était à cause de cela. Je ne voulais pas manquer à mes devoirs de maîtresse de maison, mais, toutes les trente minutes, j'ai des bouffées de transpiration, au point que je dois me changer. Mon visage devient très rouge, et j'étouffe tellement que je dois sortir. Mon gynécologue a tout essayé, mais ça ne va pas mieux. D'autant que je ne peux pas prendre un traitement hormonal substitutif, car, dans ma famille, il y a beaucoup de cancers du sein. Je me sens vieillir d'un coup… Je vous ai entendue au congrès parler d'acupuncture… Peut-être avez-vous une solution à mes problèmes ? »

Je l'ai regardée, étonnée de voir cette femme forte et déterminée souffrir à tel point.

Entre cinquante et soixante ans, un déclin des hormones sexuelles conduit à la ménopause. C'est une période semblable à la puberté, mais en sens inverse. Ce dérèglement hormonal passager peut être responsable de réactions neurovégétatives difficiles à supporter : bouffées de chaleur, angoisses, insomnies, palpitations cardiaques, douleurs articulaires, problèmes de la circulation du sang.

La ménopause, c'est aussi la « panique de la porte qui se ferme ». Soudainement, on se rend compte qu'on n'est plus jeune… C'est une sensation qui peut être douloureuse, mais qui est inévitable. Il faut souligner que c'est un état physiologique normal, non une maladie. L'arrêt des règles signifie simplement que la fonction de procréation cesse, que les ovaires ne produisent plus d'ovules et que l'organisme ne doit plus perdre de sang et d'énergie chaque mois. Certes, c'est une période de transformation, l'organisme est naturellement plus fragile, mais en aucun cas des manifestations pathologiques ne doivent survenir. Tous les problèmes liés à cette période de la vie sont parfaitement évitables.

La médecine traditionnelle chinoise donne toutes les solutions pour régler ce déséquilibre hormonal et pour soulager ces symptômes. Les femmes rencontrent ces troubles depuis la nuit des temps et, quand le traitement hormonal substitutif n'existait pas, les médecins étaient obligés de trouver des solutions.

Entre cinquante et soixante ans, on commence à souffler. La vie est moins stressante que dix ans auparavant. Les enfants sont grands et deviennent indépendants. Même s'ils causent encore du souci, ils peuvent se débrouiller seuls dans bien des domaines. On se sent moins utile et parfois on a du vague à l'âme. Mais c'est aussi réjouissant, car c'est la preuve qu'on leur a donné une bonne éducation.

Professionnellement, on peut se détendre. Les preuves sont faites et on n'a plus rien à démontrer. Maintenant, ce qui nous préoccupe est d'une autre nature. On peut souhaiter donner une nouvelle orientation à sa vie. On pense à son avenir personnel, seul ou en couple. Cependant, si forte soit-on, on peut se sentir plus fragile. Physiquement et moralement. C'est normal, on est entre deux rives...

Il faut considérer cette étape non pas comme une épreuve, mais comme un virage à négocier pour passer en beauté de longues et magnifiques années à venir.

À chaque âge, la beauté, c'est une belle peau, de beaux cheveux, de belles mains. Mais surtout un sourire. Tout dépend plus que jamais de l'équilibre intérieur et de l'hygiène de vie.

Il faut garder son amour de la vie et sa confiance en soi.

Maintenant, le maître mot, c'est la vulnérabilité. On est plus sensible aux agressions familiales, sociales, professionnelles, mais aussi physiques. On résiste moins bien aux virus et aux microbes. Dans la balance entre agressions et défenses, un déséquilibre pourrait se faire sentir.

À SURVEILLER

- les troubles de la ménopause ;
- la déprime ;
- le cholestérol ;
- l'hypertension artérielle ;
- l'apparition d'un cancer.

183

La ménopause

Le déclin progressif de la production hormonale entraîne de nombreux bouleversements. Tout l'organisme s'en ressent. Le cœur bat parfois la chamade et les larmes montent aux yeux. C'est logique, les hormones tiennent aussi le gouvernail des émotions. L'essentiel est de bien connaître ce qui se passe dans son corps, en sachant que l'on a en main toutes les cartes pour traverser en douceur cette étape de la vie !

Comme pendant toutes les périodes de transformation – l'adolescence, par exemple –, on se trouve entre les deux rives de la rivière et on se sent moins stable et plus vulnérable. La ménopause est une étape physiologique incontournable. Les règles disparaissent et c'est normal ; l'âge de faire des enfants est terminé. Si l'on s'interroge sincèrement, on n'a plus envie de pouponner. Mais il faut tout de même se faire à cette idée que l'on n'est plus féconde, et cela n'est pas chose facile à vivre pour toutes les femmes.

En revanche, il est hors de question de confondre règles et féminité. Alors qu'il n'y a aucune raison de prolonger les règles, il peut être très utile de stimuler la sécrétion hormonale. Car ce sont ces hormones qui nous permettent de rester jeune, belle, d'avoir du désir et du plaisir lors des relations sexuelles, de garder la joie de vivre. Et cela, il n'est pas question de s'en passer.

Les femmes nobles de la Chine impériale ne considéraient pas les règles comme un symbole de féminité, mais de maternité. Lorsqu'elles ne souhaitaient pas d'enfants, elles avaient recours aux plantes pour interrompre leur cycle. Tandis qu'elles faisaient revenir leurs règles dès qu'elles voulaient un héritier. Pour elles, les saignements n'étaient que perte d'énergie.

L'opéra chinois traduit bien ce mode de pensée quand il met en scène des femmes sublimes, fortes et sans règles, les Immortelles.

Les désagréments de la ménopause

L'hypersensibilité de la cinquantaine

À partir de la cinquantaine, la plupart des femmes deviennent très sensibles, à fleur de peau. Deux facteurs se conjuguent pour favoriser cet état émotionnel. Beaucoup de choses changent autour de soi. Les enfants s'éloignent, parfois le couple tangue. Professionnellement, on sait qu'on a atteint le top. Vient le temps des grandes interrogations personnelles – suis-je devenue vieille ? Suis-je encore utile à quelque chose ? Or la chute hormonale ne fait qu'ajouter au désordre. On n'a plus le ressort de se situer personnellement au milieu de ce charivari. On le constate tous les jours : dès que les sécrétions hormonales ne sont plus régulées, l'humeur s'en ressent. Les adolescentes, dont le cycle est encore incertain, pleurent souvent. Les femmes enceintes aussi, car elles fabriquent beaucoup plus de progestérone – l'hormone de la grossesse – que d'œstrogènes. C'est un état de déséquilibre hormonal physiologique qui joue sur l'humeur. À tous ces âges de transition, on est fragile.

À un autre moment de sa vie, on aurait fait face, mais là, on vit mal les agressions externes, on dramatise souvent. Parfois, on s'écroule, frappée par une vraie dépression.

Qu'est-ce qu'une dépression ? « Ce sont les neurohormones qui partent en vadrouille », ai-je coutume de dire. Où est le bel équilibre entre les neurohormones qui ont une activité excitatrice et celles qui freinent cette activité ? Où est la bonne résistance face au stress ? L'envie de pleurer sans raison, la dramatisation, l'isolement, l'épuisement nerveux et physique occupent le terrain. Pour ces symptômes, il existe des solutions. Et si elles ne sont pas efficaces, il faut consulter un médecin, c'est peut-être le signe qu'il faut passer aux antidépresseurs. Dans tous les cas, on retrouvera sa joie de vivre, c'est certain, dès que l'on arrivera sur l'autre rive du fleuve.

Les troubles du rythme cardiaque

Le déclin progressif des hormones sexuelles a de multiples répercussions sur les muscles – y compris le muscle du cœur –, qui s'affaiblissent. De plus, ce déficit d'hormones favorise le rétrécissement des vaisseaux (athérosclérose) et les troubles du rythme cardiaque. Il diminue la vascularisation du cœur, ce qui amoindrit sa résistance lors d'efforts physiques et psychologiques. Enfin, il ralentit le métabolisme des lipides et favorise la formation du tissu adipeux.

La stimulation des points d'acupuncture permet d'activer les hormones féminines, ainsi que la réceptivité de tous les autres tissus de l'organisme envers elles. Les points d'acupuncture sont aussi très efficaces pour améliorer la circulation du sang, le fonctionnement du système cardio-vasculaire, et permettent même de prévenir les arythmies cardiaques et les ischémies (c'est-à-dire la diminution de l'apport en sang des organes), ainsi que le manque d'irrigation du myocarde [1].

L'hypertension artérielle

Trois paramètres concourent à réguler la tension : la force du cœur qui propulse le sang (systole), la résistance des parois des vaisseaux, le volume du sang. Quand le cœur travaille trop et qu'il envoie le sang dans les artères avec trop de force, quand les parois artérielles sont trop rigides, ou quand une rétention d'eau augmente la quantité de sang, la tension grimpe en flèche. Le stress et le café, eux, jouent un rôle en stimulant le cœur. Alors, il s'agit de modifier la résistance de l'organisme en prenant en compte tous ces facteurs.

Le cholestérol

Pourquoi le cholestérol grimpe-t-il à la cinquantaine, alors que l'on ne change pas son régime alimentaire ? Parce que le ralentissement du fonctionnement des hormones sexuelles rend plus difficile l'assimilation des graisses. Et ce mécanisme défaillant, ou du moins plus laborieux, favorise la formation du cholestérol et du tissu adipeux. Voilà pourquoi les rondeurs, surtout autour du ventre, guettent.

Pour enrayer le processus, il faut miser sur le foie. L'élimination du cholestérol est assurée par les enzymes hépatiques. C'est le foie qui, en sécrétant des enzymes, favorise la transformation du cholestérol en bile et son élimination.

La façon que l'on a aujourd'hui d'agiter l'épouvantail du cholestérol n'est pas judicieuse. En effet, il n'y a pas de bon et de mauvais cholestérol. Simplement, une partie de ce cholestérol s'oxyde sous l'effet des radicaux libres, comme un morceau de fer dont une partie rouillerait, tandis que l'autre partie resterait rutilante. Et c'est la fraction du cholestérol

LE CHOLESTÉROL, PANSEMENT DES ARTÈRES ?

Le cholestérol joue un rôle physiologique très important : c'est lui qui protège les vaisseaux sanguins. Les artères sont comparables à de larges autoroutes, sur lesquelles circulent les cellules sanguines. Lancées à grande vitesse, ces cellules peuvent heurter les garde-fous de sécurité, c'est-à-dire blesser les parois des artères. Un mécanisme de réparation se met en route aussitôt. Le facteur qui déclenche la coagulation du sang sonne l'alarme, il réclame la coagulation locale et la réparation immédiate de l'endroit abîmé. Localement, le cholestérol vient colmater la brèche en attendant que les cellules de la muqueuse se multiplient et cicatrisent la lésion. Une fois que la lésion est réparée, le cholestérol se décolle et est éliminé par les enzymes hépatiques, qui le transforment en bile.

Mais, lorsque le cholestérol s'oxyde, il peut adhérer à la paroi des vaisseaux. Peu à peu, il forme une plaque qui durcit et peut à la longue obstruer l'artère, augmentant du même coup le risque d'ischémie du myocarde, c'est-à-dire une irrigation insuffisante du cœur.

oxydé, dit le « mauvais cholestérol », qui se colle contre la paroi des artères, en fabriquant la « plaque d'athérosclérose », et ainsi rétrécit leur perméabilité.

L'ostéoporose

Un os représente la plus incroyable des technologies. Prenons par exemple un os du talon : il est tout petit – à peine quelques centimètres. Il est creux. Et pourtant, pendant toute notre vie, il supportera le poids de notre corps, qui est plus de cent fois le sien. On grandit, on court, on saute, il ne se casse jamais.

C'est comme un pont : il faut qu'il soit solide pour transporter des gens et des véhicules, il faut qu'il soit léger pour ne pas s'écrouler, il faut qu'il dure pendant des années.

Pourquoi l'os est-il à la fois si léger et si solide ? L'os est fait du périoste, un tube évidé mais traversé de trabécules, qui forment un tissage, comme un mât avec des haubans. C'est cette structure qui lui permet d'être si résistant. La haute technologie moderne reproduit cette construction des os pour bâtir les ponts les plus solides.

Pourtant, à partir d'un certain âge, l'épaisseur de l'os peut diminuer. C'est ce que l'on appelle l'ostéoporose. Plus friable, il peut se fracturer. Les vertèbres se tassent, la tête et le haut du corps se plient vers l'avant.

Il est indispensable de garder la souplesse et la force des os pour assurer leur longévité.

Leurs deux constituants principaux sont le calcium et le phosphore. De petits récepteurs situés sur les membranes cellulaires des os captent le calcium pour fabriquer les « briques » qui solidifient l'os. La sensibilité de ces récepteurs, leurs capacités de capter le calcium du sang et de l'utiliser pour la construction des os peuvent se modifier avec l'âge, car elles dépendent du fond hormonal.

Pour assurer ce processus, il faut jouer sur plusieurs tableaux : à la fois une supplémentation pour compenser les pertes de calcium, et un exercice régulier qui permet d'entretenir cette matière vivante et de stimuler les récepteurs des cellules osseuses.

Prévenir le cancer

Le cancer n'est pas une fatalité ! La vigueur des défenses immunitaires joue un rôle clé dans le développement de cette maladie. Et sur ces facteurs, on peut agir !

Aucune émotion, aucun choc psychologique ne peut créer un cancer. Une étude américaine a même démontré que les femmes qui ont fait plusieurs dépressions nerveuses ne souffrent pas plus de cancers que les autres [2]. En revanche, des émotions fortes ou répétées de manière quasi chronique diminuent les défenses immunitaires. Et ces défenses-là, nous en avons besoin pour éliminer les cellules cancéreuses que notre corps, comme tous les organismes vivants, fabrique à chaque minute. Les cellules immunitaires les reconnaissent et les éliminent ! C'est un « nettoyage » quotidien. Il faut donc prendre soin de ces défenses, les maintenir et les restaurer quand elles faiblissent.

Ce sont les macrophages (une famille de globules blancs, « cellules gros mangeurs » étymologiquement) qui se chargent de jouer les éboueurs. Ils reconnaissent l'intrus et en débarrassent l'organisme, comme un déchet toxique. Malheureusement, il arrive qu'un certain nombre de facteurs saturent les récepteurs (les organes de détection des macrophages). Ils deviennent aveugles et sont incapables de reconnaître les cellules cancéreuses. Quels sont ces facteurs ? La pollution, les hormones en trop grande quantité, le stress chronique. Par exemple, les études histologiques de tumeurs du sein prouvent souvent leur « hormonodépendance » – l'hypersensibilité des récepteurs aux œstrogènes [3]. C'est donc l'excès d'œstrogènes qui sature les récepteurs des cellules immunitaires et provoque la prolifération cellulaire pathologique non contrôlée. De la même manière, le tabac sature les récepteurs des cellules immunitaires des voies respiratoires.

Pour prévenir ce risque, il faut stimuler les défenses immunitaires et maintenir une hygiène de vie satisfaisante. La nicotine accroît la prolifération des cellules cancéreuses. Il est donc important de ne pas fumer, et, pour les mêmes raisons, de ne pas boire plus d'un verre de vin rouge par jour (pour lutter contre les addictions, voir les annexes). Soigner son alimentation est primordial : mieux vaut acheter peu et de bonne qualité.

Les fruits et les légumes diminuent les risques de cancers. En revanche, la prise de produits laitiers en grande quantité, à cause des conservateurs utilisés, favorise les cancers du côlon et le cancer du sein.

Le sport est aussi une bonne prévention : une étude a montré qu'une demi-heure d'activité physique par jour diminue les risques de tumeurs [4]. Cerise sur le gâteau : avoir une activité sportive protège aussi la densité osseuse, la qualité du sommeil, le cœur, et évidemment lutte contre la fonte musculaire liée à l'âge.

Conseils pratiques

Lutter contre la vulnérabilité

Nous l'avons vu, le maître mot de la cinquantaine, c'est la vulnérabilité. Pour lutter contre cela et se renforcer, il existe un remède remarquable. C'est la plante de la cinquantaine, celle qui aide à passer le cap. En Russie, on l'appelle « couronne du soleil », car ses boutons sont jaune d'or. Autrefois, les paysans de Crimée l'utilisaient pour toutes les maladies. Pour eux, c'était le remède universel. « S'il devait ne rester qu'une plante, ce serait le millepertuis », avaient-ils coutume de dire.

Le millepertuis aide à lutter contre les agressions externes : climatiques d'abord (le chaud, le froid, le vent), psychologiques ensuite (la chute hormonale rend plus sensible et on devient sujette à la déprime). Avec le millepertuis, on remonte le seuil de toutes les résistances, physiques, immunitaires ou psychologiques. Aux États-Unis par exemple, on a interdit le millepertuis après une greffe d'organe, car, en stimulant les défenses, il peut occasionner un rejet de greffon. Grâce à lui, on stabilise ses résistances immunitaires contre les microbes et les virus.

Le millepertuis protège aussi contre les chocs psychologiques, en renforçant la barrière de la sensibilité au stress et aux émotions violentes.

On peut donc commencer dès la cinquantaine une supplémentation : 100 mg de millepertuis en poudre, soit une petite cuillère à café matin et soir, ou une gélule matin et soir. Le millepertuis existe aussi en teinture mère homéopathique. La bonne dose : 40 gouttes matin et soir.

LE MILLEPERTUIS : CARTE D'IDENTITÉ

Noms communs : millepertuis, herbe de la Saint-Jean.

Nom botanique : *Hypericum perforatum*.

Parties utilisées : les fleurs et les jeunes feuilles.

Origine : Europe, Afrique du Nord et Moyen-Orient.

Ses vertus

Traiter la dépression légère ou modérée, l'anxiété, l'agitation nerveuse. Une étude a montré que l'extrait de millepertuis est aussi efficace que l'imipramine, une molécule couramment utilisée dans le traitement de la dépression [5].

Attention, il faut attendre quatre semaines avant que les effets du millepertuis se fassent sentir vraiment.

Posologie

100 mg de millepertuis en poudre (une petite cuillère à café) matin et soir ; ou une gélule matin et soir ; ou encore, en teinture mère homéopathique, 40 gouttes matin et soir.

Contre-indications

Ne pas prendre ensemble millepertuis et antidépresseur. Le millepertuis peut aussi diminuer l'efficacité de certains médicaments (ceux contre le cholestérol et l'asthme, les anticoagulants et les contraceptifs oraux).

Éviter les manifestations de la ménopause

Les bouffées de chaleur

L'alimentation

Pour éviter l'arrivée des bouffées de chaleur, il ne faut pas consommer trop d'aliments qui « réchauffent » en dilatant les veines comme le café, l'alcool, les piments, les épices… On boira beaucoup d'eau, et on privilégiera les produits riches en soja (cette plante aide à lutter contre les bouffées de chaleur [6]) : salade de soja, tofu, lait de soja…

LES POINTS À STIMULER
POUR IRRIGUER LES OVAIRES

La stimulation des points d'acupuncture permet d'améliorer l'irrigation sanguine des ovaires et de prolonger leur fonctionnement. La stimulation des points est très efficace [7].

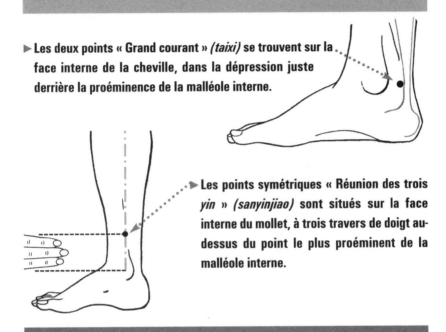

► Les deux points « Grand courant » *(taixi)* se trouvent sur la face interne de la cheville, dans la dépression juste derrière la proéminence de la malléole interne.

► Les points symétriques « Réunion des trois *yin* » *(sanyinjiao)* sont situés sur la face interne du mollet, à trois travers de doigt au-dessus du point le plus proéminent de la malléole interne.

Améliorer le sommeil et stabiliser l'humeur

Les plantes indiquées

Les hormones naturelles sont idéales. À quoi bon, en effet, prendre des médicaments si des plantes médicinales peuvent en imiter l'action et procurer les mêmes effets ? Bien que les querelles scientifiques occupent le devant de la scène, je pense fermement que ces produits naturels n'ont pas les effets néfastes des hormones de synthèse. Je recommande donc aux femmes

LES POINTS À STIMULER POUR AMÉLIORER LE SOMMEIL

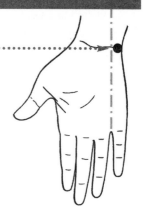

▶ Le point « Porte d'esprit » *(shenmen)*, situé à l'intérieur de chaque poignet, sur le pli du poignet, au niveau du petit doigt.

▶ Le point « Réunion des cent » *(baihui)*, qui se trouve au sommet du crâne, juste au milieu de la ligne reliant le sommet des pavillons des oreilles : il stimule les centres de l'hypothalamus qui président à la régulation centrale des hormones [8].

qui me consultent d'avoir recours aux plantes plutôt qu'au traitement substitutif de la ménopause.

– *Actea racimosa*, soja et *Angelica sinensis* miment les œstrogènes.

– Yam et alchémille se comportent comme la progestérone.

Il faut choisir une plante dans chaque famille et on obtient ainsi un traitement naturel. Mais, attention, il faut absolument prendre les deux pour équilibrer le fonctionnement hormonal.

L'homéopathie en traitement de fond

On peut, en plus, prendre pendant quelques mois un traitement homéopathique : *Lachesis* (du venin de serpent en microdoses) et *Acteae racimose* 15 ch pour stimuler les ovaires et éviter les bouffées de chaleur.

La flore peut aussi fabriquer des hormones féminines

Les chercheurs japonais ont pratiqué des séances d'acupuncture sur des rates ovarectomisées, victimes de prise de poids et de vieillissement précoce. Et ils ont observé que, progressivement, au fil des séances, le foie et les cellules graisseuses des animaux prenaient le relais des ovaires, sécrétant à leur tour des œstrogènes [9]. Voilà la preuve que l'on peut compenser la chute hormonale de la ménopause, même lorsque les ovaires ne fonctionnent plus.

ET LE TRAITEMENT HORMONAL SUBSTITUTIF ?

Les effets bénéfiques de ce traitement à base d'œstrogènes et de progestérone sont évidents sur le vieillissement de l'organisme, l'ostéoporose et les bouffées de chaleur. En revanche, ses effets néfastes sont nombreux [10] : il aggrave les problèmes de circulation du sang, favorise la prise de poids, augmente le risque de trombose et d'embolie veineuse ou cérébrale. Il accroît la formation de calculs dans la vésicule biliaire, favorise le risque de cancer du sein et de l'utérus, ainsi que l'inhibition des fonctions cognitives.

Si toutefois on désire prendre des hormones, alors il vaut mieux adopter les œstrogènes sous forme de gel (ils pénètrent dans l'organisme directement par la peau, sans fatiguer le foie), et appliquer ce gel avant la douche, ainsi, le surplus sera éliminé sous l'eau. En complément, je recommande des cures régulières de probiotiques, qui détoxifient les intestins et permettent ainsi de mieux éliminer le surplus d'hormones.

MASSER SES PIEDS

Dans le pied se projettent tous les organes du corps humain. Cette carte propose de découvrir les zones à masser pour permettre au corps de retrouver son équilibre.

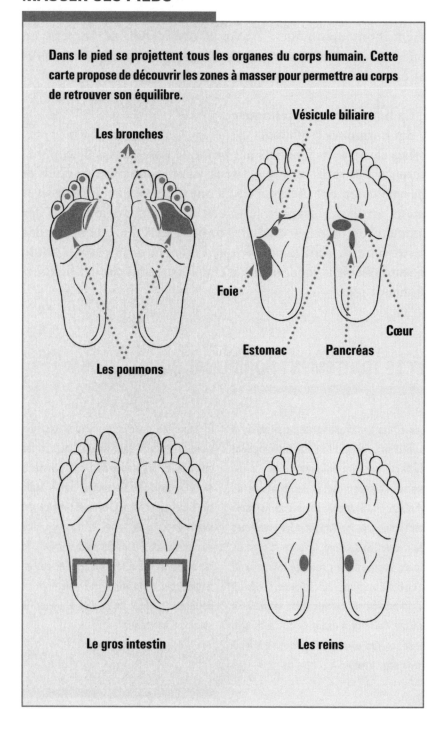

Les bronches

Vésicule biliaire

Foie

Les poumons

Estomac   Pancréas

Cœur

Le gros intestin   Les reins

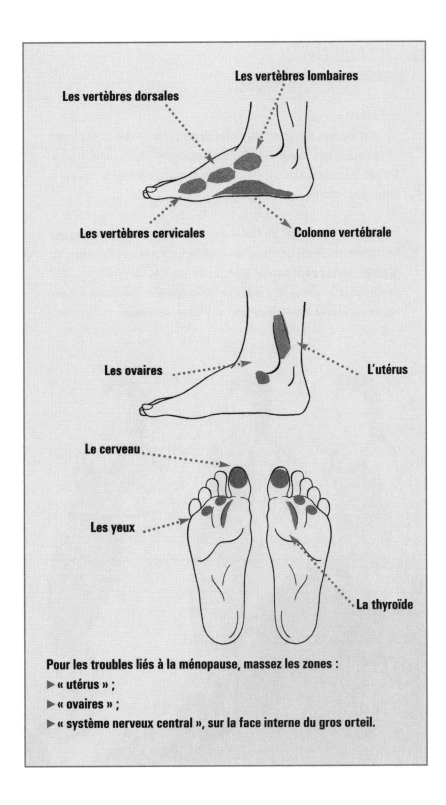

Les vertèbres lombaires

Les vertèbres dorsales

Les vertèbres cervicales

Colonne vertébrale

Les ovaires

L'utérus

Le cerveau

Les yeux

La thyroïde

Pour les troubles liés à la ménopause, massez les zones :

▶ « utérus » ;

▶ « ovaires » ;

▶ « système nerveux central », sur la face interne du gros orteil.

LES EXERCICES

RESPIREZ

On peut masser ses intestins en respirant par le ventre. Cette façon de retrouver son calme permet de sécréter plus de neurohormones. Au début, ce mécanisme est conscient, mais, en peu de temps, il devient automatique.

L'EXERCICE DU « PONT DE FER » est une pratique taoïste utilisée par les femmes qui veulent équilibrer leurs hormones et stimuler les organes de leur petit bassin. À pratiquer une fois par jour :
Rapprochez le pouce et l'index de chaque main pour former deux anneaux. Placez les anneaux sur vos reins, au-dessus des lombes.

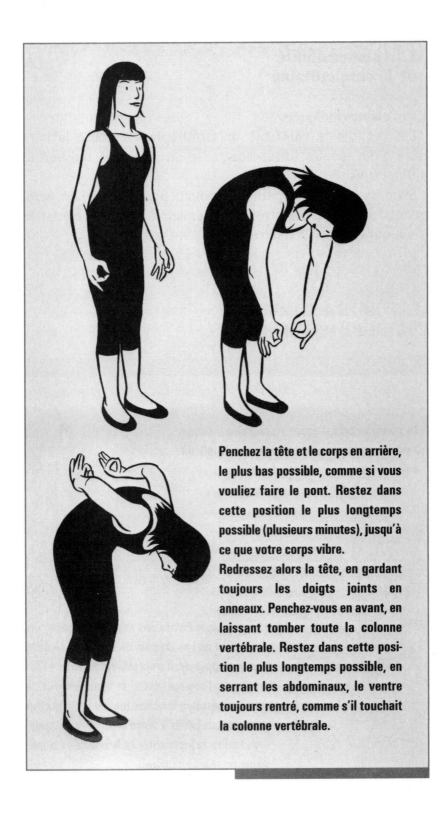

Penchez la tête et le corps en arrière, le plus bas possible, comme si vous vouliez faire le pont. Restez dans cette position le plus longtemps possible (plusieurs minutes), jusqu'à ce que votre corps vibre.

Redressez alors la tête, en gardant toujours les doigts joints en anneaux. Penchez-vous en avant, en laissant tomber toute la colonne vertébrale. Restez dans cette position le plus longtemps possible, en serrant les abdominaux, le ventre toujours rentré, comme s'il touchait la colonne vertébrale.

L'hypersensibilité de la cinquantaine

Les plantes indiquées

Une gélule de valériane ou d'aubépine remonte la barrière pour mieux lutter contre le stress ; sans oublier le millepertuis.

Si on choisit l'homéopathie, on pourra prendre aussi *Lachesis mutus* 15 ch, une dose trois fois par semaine, pour réguler le fonctionnement des ovaires.

LES POINTS À STIMULER CONTRE L'HYPERSENSIBILITÉ

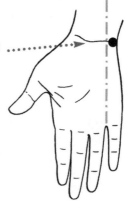

▶ Le point « Porte d'esprit » *(shenmen)*, situé à l'intérieur de chaque poignet, sur le pli du poignet, au niveau du petit doigt.

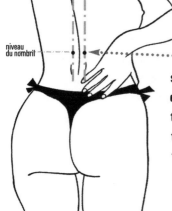

niveau du nombril

▶ Les « Points des reins » *(shenshu)* : ils se trouvent en bas du dos, de chaque côté de la colonne vertébrale, à trois travers de doigt à l'extérieur de l'espace entre la deuxième et la troisième vertèbre lombaire (partez du nombril et faites le tour jusqu'à votre colonne vertébrale, vous tomberez juste entre la deuxième et la troisième vertèbre lombaire).

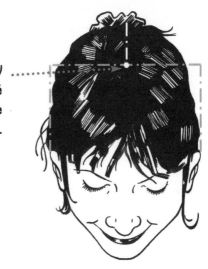

▶ Le point « Réunion des cent » *(baihui)* assure un bon sommeil. Il est situé juste au sommet du crâne, au milieu de la ligne qui relie le sommet des oreilles.

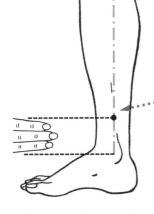

▶ Le point « Réunion des trois *yin* » *(sanyinjiao)* normalise les fonctions gynécologiques. Il se trouve sur la face interne du mollet, à trois travers de doigt au-dessus du point le plus proéminent de la malléole interne.

Ces points doivent être massés ou réchauffés avec de l'armoise au moins une fois par jour (voir comment utiliser les moxas, p. 20).

L'hypertension artérielle

L'alimentation

Contre la rétention d'eau, il faut abandonner le sel. On peut le remplacer par un peu de racine de gingembre râpée (ou passée au mixeur). Elle sublime la saveur des aliments. On peut aussi se faire des tisanes de prêle, une plante favorisant le drainage, pour stimuler le fonctionnement des reins.

Contre le stress, il faut arrêter le café et le remplacer par des infusions de passiflore, de valériane ou de camomille, qui tempèrent les hormones du stress, adrénaline et noradrénaline.

LE POINT À STIMULER
CONTRE L'HYPERTENSION ARTÉRIELLE

▶ Le point « Barrière interne » *(neiguan)*.

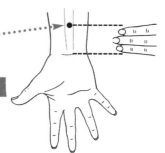

UNE EXPÉRIENCE RÉVÉLATRICE

Lorsque j'ai commencé à enseigner l'acupuncture à la faculté de médecine, ma première classe était composée de jeunes étudiants en chirurgie. Vous imaginez leur motivation ! Ils étaient tout simplement furieux d'avoir à se déplacer pour une discipline qu'ils jugeaient totalement inefficace. Alors, dès le premier cours, je leur ai fait faire une expérience. Je leur ai tous demandé de mesurer leur tension artérielle. Nous avons inscrit sur le tableau noir les noms et, en face, les chiffres de chacun. Puis j'ai divisé les étudiants en deux groupes. Au premier, j'ai demandé de masser pendant deux minutes dans le sens des aiguilles d'une montre le point « Barrière interne ». Puis nous avons repris la tension de chacun des membres de ce groupe. Et nous avons démontré une très nette baisse de la tension artérielle après le massage. Après cette expérience, mes étudiants m'ont écoutée dans le silence.

Ce point fascine les spécialistes. Des études américaines ont porté sur des rats génétiquement modifiés avec un gène de l'hypertension. En stimulant le point « Barrière interne », grâce à une aiguille fixée sur leurs petites pattes, on a réussi à faire disparaître cette anomalie. Mais, plus intéressant encore, chez des rats hypotendus, munis du même dispositif, la tension regrimpait ! On peut donc dire que le point « Barrière interne » régularise purement et simplement la tension.

Les troubles du rythme cardiaque

LES POINTS À STIMULER POUR LE RYTHME CARDIAQUE

Plusieurs travaux scientifiques [11] prouvent que la stimulation du point « Barrière interne » normalise le rythme du cœur, prévient les arythmies cardiaques et améliore la vascularisation du cœur et le fonctionnement du myocarde.

▶ Le point « Barrière interne » *(neiguan)*, situé sur la face interne de l'avant-bras, à trois travers de doigt au-dessus du pli du poignet, entre les deux tendons proéminents.

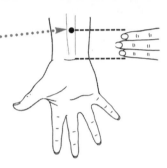

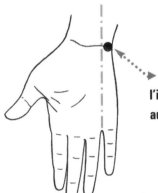

Le point « Porte d'esprit » *(shenmen)*, situé à l'intérieur de chaque poignet, sur le pli du poignet, au niveau du petit doigt.

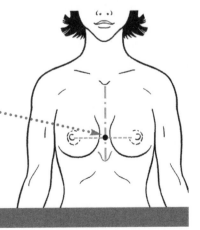

▶ Le point « Centre de la poitrine » *(shan-zhong)* se trouve sur la ligne médiane de la poitrine, entre le haut et le bas du sternum.

Le cholestérol

L'alimentation

Il faut absolument diminuer les graisses animales, source de cholestérol. Au menu : riz rouge et algues. Et il ne faut pas oublier le bon précepte : cinq légumes et fruits par jour dans l'assiette en toutes circonstances. Bourrés d'antioxydants, ils empêchent l'altération du cholestérol et la formation de plaques d'athérosclérose.

Il faut aussi savoir que le potassium est indispensable à la bonne irrigation du cœur : on trouve sa ration dans les fruits secs, ainsi que dans les pommes de terre, cuites au four, dans leur peau.

Stimuler le foie

Ce sont les enzymes fabriqués par le foie qui assurent la transformation puis la destruction du cholestérol, qui sera ensuite éliminé par l'organisme. Ces enzymes préviennent donc le dépôt de plaques dans les artères. Le foie est ainsi un acteur capital dans la protection des artères et du cœur. Il faut en prendre soin

LE POINT POUR STIMULER LE FOIE

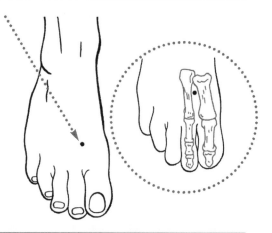

Le point « Grand croisement » *(taichong)* – sur le pied, dans l'espace entre le gros orteil et le deuxième orteil –, en stimulant la sécrétion des enzymes hépatiques, améliore le métabolisme et l'élimination du cholestérol.

et ne pas hésiter à stimuler son fonctionnement. Chaque printemps, on pourra faire une cure d'antioxydants : un cocktail de vitamines A, E et C et de sélénium. Cela permettra de diminuer l'oxydation du cholestérol sanguin.

Les plantes indiquées

Les plantes qui conviennent le mieux sont le tilleul, l'artichaut, le chrysanthème américain, la lécithine de soja. Pour une action renforcée, on peut prendre, en complément, des acides aminés comme la taurine et la choline.

L'ostéoporose

Une supplémentation pour mieux absorber le calcium

Plutôt que de se supplémenter ou d'augmenter sa ration de laitages (qui présentent l'inconvénient de favoriser les allergies, la prise de poids, et bien des problèmes digestifs), il vaut mieux miser sur l'absorption du calcium. D'abord en favorisant un environnement propice à sa bonne assimilation. Le calcium ne peut pas être absorbé dans un milieu acide. Le fait d'ajouter des conservateurs dans les laitages rend le milieu intestinal acide, ainsi, tout le calcium part dans le transit sans être retenu par l'organisme. Il faut continuer à prendre des probiotiques et des antioxydants (présents dans les fruits et légumes).

Ensuite, il faut renforcer les récepteurs de ce calcium, qui dépendent eux-mêmes de deux facteurs : la vitamine D et les hormones féminines.

C'est la vitamine D qui aide à la fixation du calcium sur l'os. Pour faire le plein en hiver, on suivra une cure d'huile de foie de morue. Le silice permet aux os de mieux capter le calcium. Les chercheurs ont montré que les fractures osseuses se régénèrent trois fois plus rapidement si on ajoute du silice au calcium.

En ce qui concerne les hormones féminines, dès l'âge de la ménopause, il faut prendre des bioflavonoïdes de soja, comme les œstrogènes et la progestérone naturels, qui stimulent les récepteurs osseux pour capter le calcium.

Encore et toujours de l'exercice physique

L'os est une matière vivante qui se construit et se reconstruit tous les jours. Mais il se régénère beaucoup mieux lorsqu'il est au travail. Trente minutes de marche par jour suffisent à prévenir l'ostéoporose. La gymnastique, tous les sports qui mettent en contact avec le sol sont excellents : danse, sports de balle… Le vélo, la natation sont moins efficaces pour le squelette.

Et une vie au grand air !

Le soleil est indispensable à la production naturelle, dans la peau, de la vitamine D, qui est elle-même indispensable à l'absorption digestive du calcium alimentaire. Il est primordial de s'aérer, de marcher à la lumière, de profiter du moindre rayon de soleil…

Lutter contre le passage du temps

Pour éviter que la peau ne se dessèche et que les cheveux ne deviennent moins brillants – deux effets de la chute hormonale –, il existe des produits très intéressants.

Les huiles de bourrache et d'onagre sont de véritables cocktails d'acides gras essentiels indispensables à l'organisme. Elles nourrissent la peau, l'hydratent et, en régulant la production hormonale, luttent contre le dessèchement.

À découvrir aussi, l'huile d'argan, extraite des noix d'argan broyées, qui est un vrai produit de beauté et, selon certains dermatologues, vaudrait toutes les crèmes antivieillissement. Son secret serait sa richesse en vitamine E et en acides gras essentiels. Il faut l'acheter pure et de préférence bio, et surtout pressée à froid (chauffée, elle perd une grande partie de ses vertus). On l'appliquera en masque sur les cheveux et la peau. On peut aussi en verser deux ou trois dés à coudre, additionnés de quelques gouttes d'huiles essentielles, dans le bain.

À PRENDRE

L'huile d'argan :

● soit en usage externe : un peu d'huile sur la peau, comme une crème, chaque jour, et en masque sur les cheveux (on trouvera le bon rythme pour les garder brillants) ;

● soit en usage interne, sous forme de cure, une gélule tous les matins pendant deux mois.

Faire attention à son alimentation

Comme nous l'avons vu au chapitre précédent, à partir de la quarantaine, il est important de prêter une attention particulière à son alimentation. Et, bien sûr, cela continue durant la décennie suivante…

Voici donc quelques nouveaux conseils :

Miser sur les antioxydants

La plus grosse part de l'assiette devra se composer de légumes et de fruits. Ils contiennent tous des antioxydants. Ils sont donc la clé de la stratégie antivieillissement. On a besoin de vitamine E, de bêta-carotène. La vitamine E est un antioxydant. Cela signifie qu'elle aide à se débarrasser des radicaux libres, des déchets cellulaires très destructeurs pour nos cellules puisqu'ils peuvent s'attaquer aux membranes cellulaires, et même à la structure de notre ADN qui porte notre patrimoine génétique. Voilà pourquoi la vitamine E – ainsi que d'autres antioxydants comme les vitamines C et A, ou le sélénium par exemple – ralentit le vieillissement et surtout le développement de lésions ou de dommages cellulaires.

On la trouve dans les huiles (d'olive, d'arachide, de tournesol ou de colza), mais aussi dans les fruits oléagineux (cacahuètes, amandes et noisettes), les poissons gras (thon, saumon), le foie.

Il faut prendre l'habitude de grignoter trois ou quatre fruits secs chaque jour : 25 g de noisettes fraîches couvrent presque la moitié des besoins quotidiens en vitamine E. Dans les fruits secs, surtout les amandes, on trouve aussi des vitamines du groupe B, du magnésium, du potassium, des fibres, des bonnes graisses… et une toute petite dose de cyanure qui, contrairement à une grande dose (poison mortel, car il bloque la circulation sanguine), stimule le muscle du cœur et la circulation du sang dans l'artère coronaire.

De la chlorophylle pour les intestins

Fabriquée par les plantes, la chlorophylle transforme le CO_2 en oxygène, et le milieu acide en milieu alcalin. C'est comme si elle apportait de la « lumière » dans les intestins, en transformant le milieu anaérobe (sans oxygène) en milieu aérobe.

Elle prévient la fermentation – source de gaz – et empêche les bactéries pathogènes, dont la plupart sont anaérobies, de s'installer. En luttant contre l'acidité, elle lutte aussi contre l'inflammation chronique des muqueuses, à l'origine de la formation de polypes. Et, on le sait, les polypes peuvent évoluer en cancer. D'autre part, la chlorophylle est le meilleur déodorant du monde, et elle assure définitivement une haleine fraîche.

Son action est renforcée et complétée par la L-glutamine, l'acide aminé le plus abondant dans l'organisme et notamment dans la muqueuse intestinale. La L-glutamine, selon de nombreux chercheurs, est essentielle pour le tractus gastro-intestinal, l'équilibre acide-base, le système immunitaire… En enveloppant de l'intérieur la muqueuse intestinale, la L-glutamine renforce sa résistance vis-à-vis des bactéries et son imperméabilité envers les toxines. Elle empêche les bactéries, les allergènes et les toxines de pénétrer dans le sang à travers les parois des intestins.

À recommander : une gélule de chlorophylle et une gélule de L-glutamine chaque matin. Le pharmacien peut préparer un mélange des deux (200 mg de chaque) dans une seule gélule.

Diminuer les rations

Il est important de garder un œil sur sa ligne. La vitesse du métabolisme est souvent ralentie avec la ménopause, et on risque de prendre du poids si on garde les mêmes habitudes alimentaires qu'à l'âge de vingt ans.

Dès la ménopause, l'alimentation doit donc évoluer, en quantité et en qualité. Il faut essayer de manger moins : la restriction calorique à cette période de la vie est une excellente prévention contre les troubles cardio-vasculaires et inflammatoires. C'est prouvé, manger moins permet de vivre plus longtemps [12]. Depuis les années 1930, nombreux sont les chercheurs qui ont observé sur des animaux que des rations diminuées pendant la seconde moitié de la vie adulte allongeaient l'espérance de vie de 20 à 50 %.

Il ne s'agit pas d'extrapoler ces résultats à l'homme sans plus réfléchir. Mais nous savons que dans l'île japonaise d'Okinawa, qui compte trois ou quatre fois plus de centenaires que n'importe où ailleurs, les habitants prennent l'habitude dès le plus jeune âge de s'arrêter de manger avant d'être rassasiés. Comment la restriction calorique peut-elle allonger la vie ? Une étude américaine est actuellement en cours. Mais l'on soupçonne déjà que cette restriction limiterait les dommages de l'ADN par les radicaux libres issus de la transformation de la nourriture en énergie.

Jusqu'à présent, les expériences ont montré qu'avaler moins de calories en diminuant la consommation de graisses et de sucre permettait :
– de perdre le poids excessif ;
– d'améliorer le fonctionnement des muscles et des articulations ;
– de diminuer significativement l'inflammation et de réduire le stress oxydatif ;
– de prévenir et de soulager les arthroses ;
– d'améliorer les défenses immunitaires ;
– de soulager les arythmies cardiaques et les bouffées de chaleur ;
– de prolonger la vie et d'améliorer sa qualité.

Renforcer ses défenses

Il existe sur terre un animal auquel on ne parvient pas à inoculer le cancer, même en laboratoire : le requin. Ses défenses immunitaires sont tellement fortes que les cellules cancéreuses sont éliminées immédiatement. L'huile extraite de sa peau est extraordinairement fortifiante et relance les défenses naturelles. On trouve cette huile, conditionnée en gélules, dans les boutiques diététiques (cette huile doit provenir de requins non protégés, vérifiez l'étiquette). Elle contient aussi des lipides non saturés : oméga 3 et 6, ainsi que de la vitamine E (contre l'athérosclérose) et de la vitamine D (qui permet aux os de capter le calcium, et protège ainsi contre l'ostéoporose).

La cure : une gélule par jour pendant un mois.

On peut aussi, quand on en ressent le besoin, faire de petites cures (un ou deux mois) d'huile de foie de morue, riche en vitamines D, E et en oméga 3.

La levure de bière, vrai cocktail de vitamines B, est aussi excellente pour la peau, la brillance des cheveux, la qualité des ongles.

Bouger

C'est un très bon moyen de rester mince et heureuse ! Car les kilos en trop sont toujours un signe de fatigue. Parce que, lorsqu'on est épuisée, la source d'énergie la plus facile d'accès, celle dans laquelle on peut puiser sans fin, c'est la nourriture.

Si l'on a tendance à faire osciller vers la droite l'aiguille de la balance, il faut faire attention au plus grand vampire d'énergie : le stress. Un souci hante, épuise, et voilà que surgit l'envie irrépressible de grignoter du chocolat ou des gâteaux, bref, de recharger l'organisme en sucre pour faire face. Il vaut mieux plutôt essayer de « contrôler les chevaux des pensées », comme disent les Chinois. Et ainsi, on dirigera son destin.

Le sport est un merveilleux remède pour garder les muscles, l'allure, mais aussi la bonne humeur. Tout simplement parce qu'un effort prolongé déclenche la production d'endorphines, des hormones euphorisantes. Ainsi, une fois l'habitude prise, on ne peut plus se passer de ces séances d'exercice.

Il ne faut cependant pas trop en faire, au risque de se blesser ou de s'épuiser, ce qui aurait des effets contre-productifs.

Vers quel sport se tourner à la ménopause ?

Si on est sportive, on continuera en adaptant sa pratique : attention aux minichocs répétés sur les talons du tennis et du jogging, qui peuvent léser les articulations ou le dos.

Si on n'est pas sportive, il est temps de penser à des cours de yoga doux qui assouplit, au *qi gong*, au Pilates qui renforce les abdominaux et étire les articulations, à la gymnastique douce pour la souplesse, ou à la gymnastique aquatique qui permet de travailler les muscles en apesanteur.

LES CINQ SOURCES D'ÉNERGIE VITALE

Le corps a besoin d'un bon équilibre entre toutes ces énergies :

- l'énergie vitale héréditaire : certains sont sans cesse en mouvement et « brûlent » tout ce qu'ils mangent. D'autres, dès l'enfance, sont plus lents et plus lourds. C'est la roulette génétique qui décide. Après, chacun doit s'accommoder de ce capital ;
- la nourriture : c'est l'essence de la voiture. Si on ne mange pas, on meurt ;
- l'oxygène : elle est vitale, le cerveau ne supporte pas plus de cinq minutes d'hypoxie ;
- l'énergie des hormones sexuelles : une perturbation hormonale (grossesse, ménopause) affaiblit. Un moindre fonctionnement des hormones thyroïdiennes aussi ;
- l'énergie de l'environnement : nous sommes dépendants de la nature et de l'énergie qu'elle dégage, par exemple les arbres qui filtrent le CO_2, ou encore l'énergie du soleil : c'est sa lumière et le rythme jour/nuit qui régulent notre tonus et permettent de récupérer.

À retenir

Pendant cette décennie, le déclin de la production hormonale perturbe l'équilibre du corps. Il rend plus vulnérable et ralentit le fonctionnement de l'organisme. Désormais, la priorité est de lutter contre les agressions extérieures en renforçant les défenses immunitaires et en stimulant la résistance de l'organisme.

LES BONS GESTES

Chaque jour :
- une gélule de millepertuis matin et soir ;
- une gélule (150 mg) de vitamine E, un mois sur deux. À compléter éventuellement par un cocktail de vitamines A et C et de sélénium ;
- une gélule de probiotiques (voir p. 51) ;
- masser le point juste derrière la malléole interne « Grand courant » *(taixi)*, pour stimuler le méridien des reins (voir p. 193).
- diminuer les graisses animales et augmenter le ratio de légumes ;
- masser les seins par des mouvements circulaires, une trentaine de fois dans un sens, une trentaine de fois dans l'autre.

Deux fois par semaine :
- faire de la gymnastique.

60 à 70 ans
La joie de vivre

Entre soixante et soixante-dix ans, c'est le moment des grands changements : l'activité professionnelle décline, les enfants deviennent parents à leur tour et l'énergie commence à s'affaiblir. Le corps lance des signaux d'alarme, comme des douleurs diverses, qui empêchent d'entreprendre pleinement ce qu'on aurait envie de faire. La liberté, maintenant, dépend du corps. C'est plus que jamais le moment de l'écouter.

Selon la médecine traditionnelle chinoise, les transformations de l'organisme suivent, à cette période, la baisse de l'énergie des reins, et donc de toutes les fonctions qui en dépendent. Cela aboutit à l'affaiblissement du système osseux, et donc à la probabilité d'apparition des arthroses, de l'ostéoporose, des pertes dentaires ; cela entraîne également la rétrogradation de l'activité hormonale et, surtout, sexuelle ; la dégradation progressive du fonctionnement des organes des sens, comme l'audition et la vision ; la perte de la souplesse musculaire, comme celle de l'épiderme, la baisse de leur qualité ; la fragilisation des réactions cérébrales, les troubles de la mémoire.

On se concentrera donc sur le maintien des forces de l'organisme et sur son bon état physique et psychique pour vivre pleinement et avec joie.

« Il était une fois deux grenouilles, tombées dans un pot de crème fraîche. L'une d'elles était découragée tant la situation lui semblait insurmontable. Elle préféra renoncer, plia ses pattes et sombra. La seconde, elle, se révolta. C'était si bête de finir ainsi ! Alors elle battit des pattes, battit des pattes… Tant et si bien que la crème finit par se transformer en beurre et, miracle, elle put sauter hors du verre et retrouver sa liberté. »

On sait aujourd'hui que le corps est intimement lié à l'esprit. De nombreuses études ont montré que l'âge biologique est d'avantage corrélé à l'âge psychologique qu'à l'âge chronologique [1]. Garder en soi un esprit dynamique, une envie de vivre, des élans vers des passions permet au corps de mieux traverser les années. Les marqueurs biologiques reflètent cette vitalité.

La beauté n'a pas d'âge. Maïa Plissetskaïa fut l'une des plus extraordinaires danseuses du XXᵉ siècle. Elle dansa pendant cinquante ans, entamant une seconde carrière dans des chorégraphies modernes à l'âge où d'autres ballerines quittent la scène. Isadora Duncan dansait nue à cinquante ans et aurait pu continuer longtemps si elle n'avait été victime d'un accident. Zizi Jeanmaire, aux jambes magnifiques, a dansé jusqu'à soixante-dix ans et chante encore à quatre-vingts. Un de mes professeurs d'acupuncture, à soixante-dix ans passés, en paraît à peine cinquante, tant elle est mince et souple. Cette femme n'est pas si différente des jeunes qu'elle soigne. Elle les écoute, les comprend, sait les encourager de paroles généreuses. Elle est si vivante que le soir, ses yeux brillent autant que le matin.

Toutes ces femmes rayonnent parce qu'elles ont compris que leur corps était un outil qu'il suffisait d'entretenir. Pour elles, la fatalité n'existe pas. Le destin se plie à leur appétit de vivre et au bonheur de réaliser leurs passions.

À SURVEILLER

- les articulations, l'arthrose ;
- la circulation sanguine ;
- la mémoire, l'ouïe et la vue.

État général : faire jouer ses muscles

Le contrôle sur les muscles est à la base de la jeunesse et de la souplesse du corps. Ce sont les tendons et les muscles qui maintiennent tout le système osseux et les articulations.

Le système de l'organisation du travail musculaire et du contrôle sur les muscles a été découvert en Grèce antique, au Ve siècle av. J.-C. À partir de l'âge de trois ans, l'enfant commençait les exercices dans le gymnase. On lui apprenait non seulement à développer les muscles, mais surtout à les utiliser correctement. Une bonne interaction musculaire et leur utilisation appropriée empêchent la fatigue et accroissent l'endurance. C'est le maintien en tension des muscles qui permet d'arriver à une telle performance. Cette mise en tension, aussi bien lors des mouvements que dans l'équilibre, n'est pas synonyme de stress ou d'excitation, mais d'« étirement adaptationnel ».

Les scientifiques ont démontré que les muscles, en travaillant, génèrent une grande force tonique, qui produit le mouvement. L'un des effets de la tension musculaire est une sensation de légèreté, un sentiment extraordinaire de dépassement de la force de gravité, qui aide les mouvements, les rend légers et agréables.

Cela s'explique par le fait que la tension de l'étirement, dirigée vers le haut, s'oppose à la pression de la force de gravité. La gravité a bien plus d'effets sur l'organisme qu'on ne le pense, et la résistance évolue avec l'âge. Tant que nous grandissons, la force vitale de la croissance est prédominante.

Chez le bébé, le centre de gravité se trouve très bas, au-dessous du pubis. Grâce à ça, bébé est souple et stable. Il marche à quatre pattes, très habilement, mais n'arrive pas encore bien à se tenir debout. Avec l'âge, le centre de gravité monte petit à petit. Arrivé juste au-dessous du nombril, le bébé peut se lever. Quand il apprend à marcher et tombe, il ne se fait pas mal, et se relève facilement.

Avec l'âge, cette force décline, si nous ne faisons rien pour la sauvegarder. Le centre de gravité remonte plus haut que le nombril. Le corps devient alors instable, se voûte pour maintenir l'équilibre, et souvent l'on a besoin d'une canne pour marcher. La force de gravité de la terre prédomine.

Quand les muscles sont maintenus en tension, comme les cordes tendues, le poids du corps ne se concentre pas sur un point « mort » et la fatigue musculaire tend à disparaître.

Cette tension a des effets divers. Les muscles, en maintenant la peau en tension, retardent l'apparition des rides, comme nous l'avons vu dans le chapitre « 40 à 50 ans » (voir p. 137 et 147).

Le cœur, muscle de la plus grande importance, propulse le sang à travers tout le corps, en permanence. Les parois des artères contiennent aussi les muscles, qui leur permettent à leur tour d'assurer une bonne circulation sanguine. Plus nous stimulons le système musculaire, plus nous améliorons la circulation du sang, l'irrigation du cœur, la souplesse et la perméabilité des artères.

Le centre de commande qui génère l'énergie musculaire est le diaphragme. La force et le développement des muscles du diaphragme coordonnent l'état de tout le système musculaire. La capacité de diriger le diaphragme, de l'utiliser correctement, permet d'atteindre le calme et la confiance en soi.

L'arthrose

Le fonctionnement de toutes les articulations dépend également des muscles : la souplesse, la qualité du travail des muscles et leur force dynamique assurent un bon positionnement, une bonne irrigation et un bon fonctionnement des articulations de l'organisme. L'affaiblissement du fonctionnement du système musculaire et des ligaments est aussi la cause principale des arthroses.

L'arthrose est le plus souvent le lot des femmes. C'est une usure des cartilages qui peut toucher toutes les articulations, y compris la colonne vertébrale.

Or, quand le cartilage abîmé perd en qualité, il se dessèche, devient moins lisse, se fissure parfois, n'assurant plus la bonne rotation des deux os de l'articulation l'un sur l'autre. Un cartilage de mauvaise qualité n'amortit plus les chocs provoqués par le mouvement, comme pour une voiture dont les amortisseurs seraient abîmés.

Quand on souffre de douleurs handicapantes, la consultation d'un médecin est impérative. Il ne sert à rien d'endurer, ou pire de se dire que ces douleurs sont inéluctables avec l'âge.

L'arthrose peut avoir plusieurs origines. Ou la qualité de l'os est atteinte (ostéoporose), ou celle du cartilage, ou encore le liquide synovial (qui se trouve dans l'articulation, y jouant un rôle de lubrifiant) n'est pas d'une qualité suffisante pour assurer le bon glissement des articulations l'une sur l'autre. Et la ménopause affaiblit encore davantage le système osseux.

Le mot « arthrose » vient du latin et signifie « inflammation d'articulation ». Chaque articulation est constituée de plusieurs parties : l'articulation en elle-même, c'est-à-dire la connexion entre les os. Pour qu'il n'y ait pas de friction entre les os pendant les mouvements, ils sont séparés par un cartilage qui sert d'« amortisseur ». Dans la colonne vertébrale, les disques intervertébraux assurent cette fonction ; dans les genoux, il s'agit des minidisques. Dans toutes les autres articulations, mêmes les plus petites, la structure est similaire. Et pour assurer un meilleur glissement, de la même manière que l'on graisse une porte pour qu'elle ne fasse pas de bruit, l'articulation « nage » dans le liquide synovial, qui contient une partie liquide et des sels minéraux – leur fonction étant de « graisser » le liquide. Et l'articulation est enfermée hermétiquement dans le sac synovial (cavité entièrement close), qui la protège contre les facteurs d'infection. Même les substances contenues dans le sang (y compris les antibiotiques) ne franchissent pas cette barrière.

Les articulations connaissent donc des fragilités de différentes natures : inflammation et décalcification des os dues à une trop faible quantité de calcium et de phosphore dans l'os, faiblesse des cartilages ou défaut du liquide synovial.

Le métabolisme des minéraux dans les os, surtout celui du calcium et du phosphore – deux éléments essentiels dans la construction des os –, dépend du fonctionnement du méridien des reins, selon la médecine traditionnelle chinoise.

La bonne qualité des « amortisseurs » dans les articulations (les cartilages interosseux) dépend beaucoup de leur capacité à absorber l'eau. Le tissu des cartilages ressemble en effet à une éponge : s'il gonfle, il a tendance à sortir de sa « cage », car l'espace devient trop petit pour lui. D'autre part, le dessèchement l'empêche de remplir sa fonction d'« amortisseur » et de supporter la pression osseuse. Cet équilibre de l'eau dans le cartilage, et donc la structure morphologique de ce dernier, dépendent beaucoup des hormones féminines – œstrogènes et progestérone. Après la ménopause, cet équilibre est plus difficile à maintenir.

La bonne qualité du liquide synovial dépend du fonctionnement du foie. C'est le foie qui sécrète la base du liquide synovial, les sels minéraux graisseux. Les lois chimiques interviennent dans cette fonction. Les sels minéraux, solubles dans un milieu neutre ou alcalin, forment des dépôts en milieu acide (des petits cristaux). Si l'acidité est importante, ces cristaux empêchent le liquide synovial, devenu trop visqueux, de bien circuler dans l'articulation. Ce sont des petits « calculs » qui se forment à l'intérieur de l'articulation, de la même manière que les calculs biliaires et rénaux se forment dans la vésicule biliaire ou dans les reins. L'articulation est ainsi inflammée et ne peut pas fonctionner correctement. Toutes les articulations peuvent être touchées par l'arthrose : les rachis vertébraux, cervicaux, dorsaux ou lombaires, les grandes articulations comme l'épaule, le coude, le poignet, la hanche ou le genou, mais aussi les petites articulations des phalanges. Cliniquement, cela se manifeste par des douleurs, une limitation des mouvements et un œdème au niveau de l'articulation affectée. Logiquement, ce sont les articulations qui travaillent le plus qui s'inflamment le plus facilement : l'épaule chez les dentistes, les rachis lombaires chez les chauffeurs de taxi, le coude chez les joueuses de tennis (*tennis elbow*), les genoux chez les joueuses de foot. Pour répondre au problème spécifique de chacune avec un traitement symptomatique, il faut s'attaquer à la cause elle-même.

Les points d'acupuncture sont très efficaces. De nombreux travaux, réalisés par des équipes scientifiques espagnoles, allemandes, américaines et chinoises, ont montré qu'ils soulageaient les douleurs du genou et de la hanche notamment. Et non seulement les points d'acupuncture font disparaître la douleur, mais encore ils améliorent la microcirculation du sang (dont les cartilages profitent) et renforcent la tonicité musculaire (qui soutient le travail articulaire) [2].

Il faut également souligner le rôle de la nourriture dans ce domaine. Des chercheurs de Boston l'ont prouvé [3] : une trop forte consommation de viande est presque toujours associée aux arthroses dégénératives. Sans doute parce qu'elle est trop acide. C'est la plaie de ce siècle. À force d'industrialiser la nourriture, on la rend trop acide. En fait, notre alimentation quotidienne devrait se composer de 70 % d'éléments alcalins et de seulement 30 % d'éléments acides (voir la liste des aliments dans la partie des conseils pratiques).

Les troubles de la circulation, les vertiges

Favoriser l'irrigation du cerveau

La liberté passe par un bon fonctionnement du corps. Les douleurs qu'on laisse s'installer réduisent peu à peu les mouvements. On s'interdit, consciemment ou non, certains gestes, car on sent que l'on risque de se faire mal, que les mouvements sont moins précis.

Pour lutter contre cette impression, il faut faire attention à l'irrigation du cerveau. En effet, le centre d'équilibre se trouve dans le tronc cérébral, dans le cervelet *(cerebellum)* et dans les oreilles internes. Quand ils sont bien irrigués et bien oxygénés, les mouvements sont parfaits. On ne souffre ni de déséquilibre ni de vertiges. Cette assurance dans le mouvement évite de se faire mal ou de se contracter. Or la base du crâne où se trouvent ces centres est vascularisée par deux artères qui passent tout près des vertè-bres cervicales – les artères vertébrales. C'est dans cette zone qu'il faut relancer la circulation. Les artères vertébrales assurent l'ir-rigation de toute la base du crâne : du tronc cérébral à l'arrière de la nuque jusqu'à l'oreille interne.

Ainsi, l'irrigation de tout l'appareil vestibulaire (qui dirige l'équi-libre) dépend des artères vertébrales. Si l'arthrose cervicale, c'est-à-dire le gonflement des disques intervertébraux à ce niveau, perturbe la circulation du sang à la base du crâne, cela peut se traduire par une mauvaise qualité de sommeil, l'affaiblissement de la mémoire et de la concentration, mais aussi par des vertiges, des troubles de l'équilibre, la formation de petits cristaux dans l'oreille interne et la diminution de l'ouïe, ou encore des acouphènes. Les sensations de bourdonnement dans les oreilles sont en effet dues à une mauvaise irrigation de la base du crâne (sauf dans le cas d'acouphènes posttraumatiques, liés à un fort bruit par exemple).

Les racines nerveuses, qui naissent au niveau des rachis cervi-caux, assurent l'innervation de tous les muscles et articulations du bras. L'arthrose cervicale peut donc aussi être à l'origine des inflammations et des douleurs de l'épaule, du coude ou du poignet (syndrome du canal carpien).

LES TROUBLES DE LA MÉMOIRE

Lorsque Angélique est venue me consulter, elle était en proie à un grand désarroi. À soixante-douze ans, malgré ses activités nombreuses, elle avait sans cesse peur de ce qu'elle appelait les « oubliettes » : un nom de famille soudain lui échappait, ou bien elle ne se rappelait plus où elle avait posé un livre ou son trousseau de clés. Pour elle, ces oublis étaient catastrophiques.

Quand on a vingt ans, on ne s'inquiète pas de ce genre de choses, mais, l'âge venant, on a tendance à considérer que ce sont les premiers symptômes de la vieillesse. Angélique était d'autant plus sensible à ces oublis qu'elle ne se laissait rien passer et rele-vait toutes ses défaillances.

La circulation dans les jambes

Quand on ne bouge pas, le sang stagne dans l'organisme. C'est un peu comme une mare dont l'eau deviendrait trouble, sale, pleine de microbes. Les Chinois ont coutume de dire que la circulation sanguine doit ressembler aux torrents des montagnes, qui s'écoulent librement et rapidement, aux eaux pures et limpides, toujours renouvelées. Malheureusement, avec l'âge, la circulation devient plus difficile et plus lente.

C'est l'exercice qui va apporter la solution. Les muscles, qui enserrent les veines, ont une action sur leur tonicité. En travaillant, même de manière douce pour ne pas se blesser, on active la circulation du sang. Il ne faut pas oublier que les veines, contrairement aux artères, n'ont pas leur propre système musculaire. Faire de l'exercice est donc particulièrement important.

Les vertiges et les troubles de la mémoire sont souvent liés à la mauvaise vascularisation du cerveau, aux changements du métabolisme, et plus particulièrement au glucose, et aux réactions des radicaux libres dans les centres cérébraux, dues à l'âge [4].

La mémoire est une fonction intégrale. Comme un muscle, elle a besoin d'entraînement. D'ailleurs, les exercices physiques systématiques stimulent tout le système musculaire et vasculaire et favorise la mémoire. Une activité professionnelle intense et les multiples devoirs sociaux et familiaux sollicitent la mémoire en permanence et en même temps la stimulent. Comment entretenir cette mémoire ? En apprenant une langue ou une poésie, en jouant aux échecs...

Les Chinois anciens disaient que nous avons plusieurs mémoires.

D'abord, la mémoire de la tête : un disque dur qui enregistre toutes les informations, des myriades d'événements, d'expériences et de sensations, qu'elle range dans des « tiroirs » et met à notre disposition si besoin.

Ensuite, la mémoire du ventre, qui emmagasine toutes les émotions, comme des couches archéologiques. Les chocs émotionnels font des nœuds de contracture et empêchent la libre circulation.

UNE MODÉLISATION DE LA « MÉMOIRE DU CŒUR »

Les travaux de différents chercheurs ont permis de modéliser un fonctionnement de cette mémoire du cœur [5]. Ainsi, on peut considérer que cet organe est capable de recevoir, de transformer et de transférer des messages émotionnels et psychologiques.

Un choc émotionnel, ainsi, aurait un retentissement sur les fibres musculaires. Les cellules qui les constituent agissent comme des cellules transmettrices plutôt que comme des cellules contractiles. Une pression émotionnelle déclenche la libération de peptide atrial natriurétique – une hormone –, qui elle-même déclenche la libération de l'acé-tylcholine dans le cœur. Cela provoque une réaction en chaîne : changement du rythme cardiaque, transmission du message nerveux dans les centres de la perception cérébrale (cortex antérieur, hypothalamus, *hypocampus striatum*). L'autre axe d'action est l'activation du système qui limite l'action nocive du stress sur l'organisme.

Il est intéressant de noter que le cœur contient les deux systèmes : ce qui déclenche les réactions du corps au choc émotionnel, et le contrôle rétroactif qui protège contre les réactions négatives à ce choc.

Et enfin, la mémoire du cœur : la mémoire affective, qui donne une couleur particulière à chaque événement et à chaque personne rencontrée. C'est la mémoire affective qui est la plus vivante : on n'oublie pas le nom des gens que l'on aime ni les poèmes que l'on adore. Les recherches scientifiques tendent à prouver que la mémoire siège dans le cœur [5]. Ainsi, l'acétylcholine, aux substances actives sécrétées à l'intérieur du cœur, véhicule la mémoire affective, alors que les centres cérébraux – c'est-à-dire les centres de la mémoire associative – sont ceux qui analysent. Les expériences sur les insectes montrent que si on bloque l'acétylcholine chez les abeilles, elles oublient la localisation du champ le plus fleuri.

Le lien entre l'affectif et le système neurosensoriel est prouvé. Ainsi, dire qu'il faut que le cœur reste jeune n'est ni une expression toute faite ni moralisateur, mais « être jeune dans son cœur » agit sur tous les organes.

Pour entretenir sa mémoire, il faut jouer sur différents facteurs.

▶ Les oméga 3 ont une action sur le cerveau, aidant les connexions neuronales à se faire [6].

▶ La circulation sanguine est elle aussi, bien sûr, de la plus grande importance. Le sang apporte de l'énergie au cerveau, du glucose dont il fait une grande consommation.

▶ La neutralisation des radicaux libres, enfin, aide l'ensemble des fonctions cognitives.

La vue

Les Chinois anciens disaient : « Le foie se manifeste aux yeux. » Effectivement, le foie sécrète des substances immunitaires – dont la lisocine, qui fait partie des larmes et protège les yeux contre les irritations dues au vent, au froid ou à la chaleur, et contre les facteurs infectieux (les virus et les microbes). Si l'on manque de lisocine, les yeux sont facilement rouges et trop sensibles. Le foie sécrète aussi une neurohormone, la taurine, qui protège la rétine et ses récepteurs visuels.

Pour renforcer la défense des yeux, il faut donc permettre au foie de fonctionner le mieux possible. L'alcool est une des causes de dysfonctionnement (voir en annexes les conseils pour lutter contre les effets de l'alcool).

Et le cœur joue un rôle dans la mémoire visuelle affective : c'est encore la même substance, l'acétylcholine sécrétée à l'intérieur du cœur, qui véhicule le message de la rétine vers les centres cérébraux, qui analysent et mémorisent les images visuelles.

Conseils pratiques

Tenir son corps en tension

La série des cinq immortels [7]

Voici un exercice qui assouplit et muscle le dos, les cervicales, les jambes, les bras, les abdominaux. Il se décompose en cinq mouvements, qui font travailler chacun différentes parties du corps, aidant à lutter contre les raideurs et les lourdeurs. Ils entretiennent la musculature et la souplesse, et permettent de garder une silhouette jeune.

L'idéal est de les pratiquer vingt fois chacun. Bien sûr, on ne commencera pas à un tel rythme si l'on n'est pas entraînée, mais, petit à petit, on ajoutera une série jusqu'à parvenir au nombre souhaité. C'est en s'y attelant et en les pratiquant régulièrement qu'on y arrivera. Cela prend une vingtaine de minutes. Vingt minutes chaque jour pour rester en forme vingt ans et plus, qui dit mieux ?

La respiration abdominale

La respiration abdominale est le meilleur moyen de diriger le diaphragme et de réguler la position du centre de gravité au-dessous du nombril. Elle entraîne les muscles du diaphragme, ainsi que tous les muscles abdominaux.

LES CINQ IMMORTELS

▶ Mains jointes, yeux ouverts, on tourne sur soi-même, un peu comme un derviche tourneur. On ne perdra pas l'équilibre si on fixe un point devant soi, toujours le même.

▶ Par terre, allongée, on lève les jambes et les bras le long du corps en relevant le tronc.

▶ Sur les genoux, mains sur les fesses, on s'étire vers le haut, en arrière, comme pour faire le pont en arrière.

▶ À quatre pattes, sur les genoux, mains appuyées sur le sol, on remonte les fesses et on creuse le dos comme pour faire le pont.

▶ À plat ventre, jambes tendues, appuyée sur les mains, on tend les bras comme pour faire le pont à l'envers.

En inspirant, gonfler le bas du ventre. On ressent une tension dans le ventre. Maintenir l'air pendant quatre ou cinq secondes, puis expirer. En vidant les poumons, on rentre le ventre le plus profondément possible, près de la colonne vertébrale. Répéter trente à cinquante fois.

Cet exercice est à pratiquer tous les jours, le plus souvent possible. On peut le faire en conduisant, par exemple, à chaque feu rouge.

Le système grec : les étirements [8]

Cet exercice permet d'assouplir les muscles, la colonne vertébrale, les tendons et les articulations.

L'ÉTIREMENT DE LANGUE

La position correcte est la suivante : les pieds rapprochés se touchent ; le poids du corps est maintenu un peu en avant, sur les coussins des pieds ; les bras pendent le long du corps. Si la position est bonne, on peut tracer de chaque côté une ligne imaginaire à partir du lobe de l'oreille, à travers l'épaule, la hanche, le genou, en ligne droite jusqu'aux pieds.

▶ On s'incline à partir de la taille, comme si on voulait se plier en deux. En même temps, on compresse les muscles du ventre, comme si on voulait toucher la colonne vertébrale. On tire vers la terre les muscles des jambes à partir des cuisses ; tandis que l'on étire au maximum la taille vers le haut. L'étirement dans les sens opposés est un principe essentiel qu'il faut réaliser.

▶ Ensuite, sans remonter, on redresse le cou, tandis que les épaules partent vers l'arrière.

▶ On tend les bras vers la terre, le plus possible, en étirant chaque doigt. La tension des bras doit être dirigée contre la tension du cou et des épaules vers le haut. Il faut surveiller que les épaules ne tirent pas vers le bas.

▶ On tire le menton un peu en avant et légèrement vers le haut pour ressentir la tension des muscles sous le menton. On

232

remonte tous les muscles du visage dans une grimace : la lèvre supérieure touche le bout du nez, et les joues remontent jusqu'à ce que les yeux soient à demi fermés. Dans cette position, on ouvre les yeux le plus possible, les sourcils remontent et le front se plie, en remontant.

▶ On tend les muscles des genoux, en les pressant en arrière le plus possible. On remonte sur la pointe des pieds. Tout le corps, du vertex jusqu'au bout des doigts, se trouve maintenant en tension.

Une assurance longévité : les trois rires

L'activité physique est très importante pour la longévité. L'exercice de l'empereur est à conseiller parce qu'il rend très joyeux. Il se compose des trois rires.

▶ *Le premier rire* est « un rire aux éclats » : on rit de bon cœur, à pleine bouche, d'une voix forte, pour être entendue de loin...

▶ *Le deuxième rire* est « un rire dans l'église » : au milieu de la prière, une blague très drôle revient à l'esprit. On a peur d'être entendue, mais on ne peut pas se retenir. Alors, on rit à l'intérieur de soi. Le corps vibre.

▶ *Le troisième rire* est « un rire devant l'empereur » : on est devant l'empereur, au milieu de la cour, et on est pris de fou rire. Impossible de faire éclater sa joie, ce serait insulter le monarque. Alors, on rit doucement, à l'intérieur du ventre : la bouche est fermée, les lèvres se pincent pour cacher le sourire. Tout le corps est secoué.

Selon la tradition, ces vibrations profondes permettent de stimuler la circulation du sang et de l'énergie dans tout l'organisme, de l'extérieur vers l'intérieur : la peau, le diaphragme et la chair lors du premier rire ; les tendons, les muscles, les articulations et les os pour le deuxième ; tous les organes internes et les moelles pour la troisième.

Se nourrir en aidant son corps

Le curcuma, l'épice indispensable

Comme pendant la décennie précédente, on mange léger, on ajoute plus de légumes dans son assiette, on fait une journée de détox au moins une fois par semaine. En plus, on prend des antioxydants tous les matins. Maintenant, il faut ajouter une épice qui peut faire le plus grand bien.

En détruisant les dépôts de protéines toxiques, le curcuma favorise la diminution du taux de cholestérol sanguin. C'est donc un excellent protecteur des artères. Mais, en agissant

LE CURCUMA, FICHE D'IDENTITÉ

Cette épice au goût délicieux (le curcuma est souvent confondu avec le safran) est aussi au cœur de la médecine ayurvédique.

Nom commun : curcuma.

Nom botanique : *Curcuma longa*.

Partie utilisée : le rhizome.

Origine : Asie centrale.

Ses vertus

● le curcuma est un antioxydant puissant,

● un anti-inflammatoire,

● un hypocholestérolémiant,

● un fluidifiant sanguin.

Posologie

Une cuillerée à café par jour.

Contre-indications

Comme il fluidifie le sang, il est déconseillé de l'associer à un anticoagulant, ou de l'absorber dans les jours qui précèdent une intervention chirurgicale.

contre le cholestérol, facteur de risque de la destruction des neurones, il joue surtout un rôle extrêmement positif contre les « trous de mémoire ».

En plus, le curcuma dispense une forte action bactéricide. Il nettoie tous les parasites intestinaux. C'est aussi un antioxydant très puissant qui agit au niveau du foie. Or c'est lui, le foie, qui sécrète les sels minéraux graisseux qui vont assurer le bon glissement des articulations.

La bonne quantité ? Une cuillerée à café de curcuma par jour. On peut le prendre dans son yaourt, ou l'ajouter à ses plats.

À savoir : le poivre noir potentialise l'effet du curcuma.

Le silice, un antiride excellent pour les os

Présent dans le sable, ce minéral a une formidable aptitude à retenir l'eau et permet aux cellules osseuses de capter le calcium. Une étude a montré que la prise de calcium, de silicium et de vitamine C en hiver peut aider à prévenir l'ostéoporose [9] (voir le chapitre précédent). Comme il retient l'eau, le silice est également excellent pour la peau, qui devient plus sèche, s'affine et se ride.

La bonne dose : une gélule matin et soir.

Des huiles essentielles bonnes à tout faire

Ces extraits de plantes ont de puissants effets. On peut les utiliser dans beaucoup de situations : pour désinfecter l'air ambiant des microbes, pour apaiser le stress, pour donner du tonus… Quelques gouttes dans de d'huile d'amande douce permettent de les utiliser en massage (très concentrées, elles peuvent être irritantes). On les diffuse, on les inhale ou on en fait couler sur le mouchoir que l'on pose la nuit sur son oreiller.

L'eucalyptus est très actif contre les infections. Le thym et le gingembre amélioreront le tonus.

UN EXERCICE TOUS LES MATINS

▶ « Le regard à l'infini » est un excellent exercice. C'est le même que pour soigner le torticolis (voir le chapitre « 40 à 50 ans »). En position debout, porter le regard sur l'horizon. En inspirant lentement, sans bouger le corps, tourner la tête à gauche, le plus loin possible, en gardant le regard sur l'infini. Expirer en revenant à la position initiale. Faire le même mouvement vers la droite. À répéter dix fois, tous les matins.

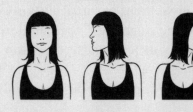

▶ On peut faire aussi « la tortue » : abaisser le menton sur la poitrine en étirant bien le sommet du crâne vers le haut. Inspirer lentement. En expirant, ramener le crâne en arrière, comme si on voulait que le cou touche l'occiput. Étirer le menton et la gorge vers le haut. En inspirant, ramener le menton dans la position de départ. Répéter ce cycle dix fois.

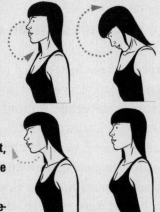

▶ Ou encore « la grue » : faire les mouvements précédents dans l'autre sens. En inspirant, incliner la tête en arrière, menton tendu vers le haut.. Expirer lentement, avec le menton tendu vers l'avant, faire un cercle en tendant ensuite le menton vers le bas. Répéter ce mouvement dix fois.

Lutter contre l'arthrose

L'alimentation

J'ai expliqué dans le chapitre précédent que la restriction calorique permettait de vivre plus longtemps. En continuant ce régime léger, on ne prend pas de poids, on diminue significativement les radicaux libres et l'acidité qu'ils apportent à l'organisme. C'est également pour lutter contre eux qu'on donne des antioxydants, et on prévient ainsi l'arthrose [10].

Il est également bon de diminuer votre ration de viande rouge, trop acide, et de lutter contre l'acidité en général. Boire chaque matin un grand verre d'eau tiède additionnée du jus d'un citron est d'une grande aide. Contrairement à ce que son goût pourrait laisser croire, cet agrume transforme un milieu acide en milieu alcalin.

Les fruits et les légumes, mais aussi les huiles végétales (surtout l'huile d'olive) doivent constituer la base de l'alimentation. Pour les protéines, on choisira les poissons, le soja, les blancs d'œufs. Il faut penser aux épices, et surtout au gingembre. Le jus frais de gingembre, en effet, active les sécrétions gastriques, améliore la digestion, mais surtout possède une action anti-inflammatoire très puissante et prévient l'ar-

ALIMENTS ACIDES ET ALIMENTS BASIQUES

Les aliments acides sont les viandes, la charcuterie, les poissons, les œufs, les fromages (attention au parmesan), les sucres, le chocolat, la nourriture industrielle...

Les aliments alcalins ou basiques sont les légumes verts (épinards en tête), les fruits, les légumes colorés (sauf les tomates), les fruits secs, les eaux minérales alcalines.

À noter : le citron et le pamplemousse ont la propriété de transformer les milieux acides en milieu alcalin.

throse [11]. Les lipides polyinsaturés (les oméga 3, les huiles de poisson, les huiles végétales) ont aussi une action très importante sur l'arthrose, car ils améliorent la qualité du liquide synovial et assurent un meilleur fonctionnement de toutes les articulations du corps [12].

Le gingembre a en autre un effet bactéricide et antiparasitaire qui protège des infections digestives, active la sécrétion gastrique, améliore la qualité de la digestion, arrête les nausées et stimule l'appétit.

Buvez beaucoup d'eau

L'eau fait partie intégrante de la structure de la peau et du cartilage. Or, avec l'âge, l'organisme a tendance à se déshydrater plus facilement, les récepteurs des cellules ont plus de mal à retenir l'eau et l'hypothalamus masque la sensation de soif. Attention aux grosses chaleurs. La quantité d'eau ingérée doit s'adapter au climat, à l'activité physique, à la transpiration.

Les plantes indiquées

Le silicium et les plantes riches en ce minéral, comme la prêle, stimulent le fonctionnement des reins, améliorent le métabolisme des minéraux, permettent aux os de capter le calcium.

L'harpagophytum (dite aussi la « racine de griffe du diable ») diminue le processus d'inflammation, d'une manière plus douce que les anti-inflammatoires classiques. Son efficacité dans le traitement de l'arthrose a été prouvée [13].

BON À SAVOIR Évaluer la quantité d'eau nécessaire à son organisme. Elle doit être égale au poids divisé par 35. Si on pèse 70 kg, on doit boire deux litres d'eau par jour.

LES EXERCICES À FAIRE

En plus de l'exercice physique, vous pouvez pratiquer un exercice de méditation appelé « les os riants » pour renforcer votre ossature en vous amusant. Avant tout, il faut retrouver le sourire en pensant à quelque chose qui fait rire : un événement drôle, un sketch de votre humoriste préféré ou une blague de votre petit-enfant. Ensuite, concentrez-vous sur vos orteils en imaginant la moindre petite phalange vibrer, comme si vos os rigolaient. Petit à petit, faites remonter cette « vibration riante » vers les talons puis les genoux, les hanches, le petit bassin, la colonne vertébrale, le coccyx, les lombaires et continuez vers les omoplates et les cervicales. Redescendez ensuite sur les épaules et le long des bras vers les coudes, les poignets et les doigts, jusqu'aux ongles. Faites remonter de nouveau cette vibration vers les cervicales, la tête, dans chaque os du visage – votre menton doit être secoué par ce rire –, et redescendez à travers le thorax jusqu'au nombril. Ainsi, tout votre corps est envahi par cette « vibration riante », chaque os vibre en unisson avec le reste de l'organisme. Cet exercice permet de renforcer le système osseux ainsi que les articulations et prévient également l'ostéoporose. On peut pratiquer cet exercice en entier ou partiellement, en insistant sur l'articulation ou la vertèbre à l'origine des douleurs.

Les compléments alimentaires

La chondroïtine sulfate et l'acide hyaluronique (ainsi que les extraits des cartilages des poissons, par exemple le cartilage de requin) sont les substances qui, faisant partie des cartilages, améliorent leur métabolisme et leur structure.

L'efficacité de la *Perna canaliculus* a été démontrée dans le modèle de l'arthrose du genou chez les chiens [14]. Les extraits de cette moule de Nouvelle-Zélande ont une action sur l'aisance articulaire.

LES POINTS À STIMULER CONTRE L'ARTHROSE

▶ Les « Points des reins » *(shenshu)* : ils se trouvent en bas du dos, de chaque côté de la colonne vertébrale, à trois travers de doigt à l'extérieur de l'espace entre la deuxième et la troisième vertèbre lombaire (partez du nombril et faites le tour jusqu'à votre colonne vertébrale, vous tomberez juste entre la deuxième et la troisième vertèbre lombaire).

▶ Le « Point du gros intestin » *(dachangshu)*, de chaque côté de la colonne vertébrale, dans l'espace entre les quatrième et cinquième vertèbres lombaires. Pour trouver ce point, placez votre pouce sur l'os du bassin. L'espace entre la quatrième et la cinquième vertèbre est au même niveau, sur le dos. Les deux points se situent ensuite de part et d'autre de la colonne vertébrale.

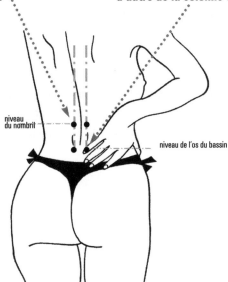

niveau du nombril

niveau de l'os du bassin

POUR SOULAGER LES DOULEURS LOMBAIRES :

Le point « Montagne Kunlun » *(kunlun)*, dans le creux entre la malléole externe et le tendon d'Achille.

▶ Le point « Œil qui pleure » *(zulinqi)* se situe sur le pied, dans l'espace entre le quatrième et le cinquième métatarsien (entre le petit orteil et l'orteil voisin).

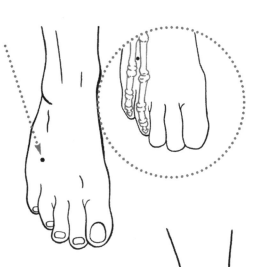

CONTRE LES DOULEURS DU GENOU :

▶Le point « Museau du veau » *(dubi)*, qui se trouve dans chaque creux en dessous de la rotule, genou fléchi.

▶Le point « Sommet du monti-cule » *(hedin)*, sur la face avant de la cuisse, au-dessus du genou, dans le creux à deux travers de doigt du bord supé-rieur de la rotule.

▶Le point « La vallée de feu » *(rangu)*, situé sur le point le plus haut de la voûte plantaire.

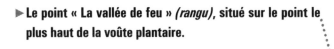

CONTRE LES DOULEURS DE HANCHE :

▶ Entre le coccyx et l'os de la hanche, le point « Cercle du saut » *(huantiao)* se trouve aux deux tiers de cette ligne imaginaire.

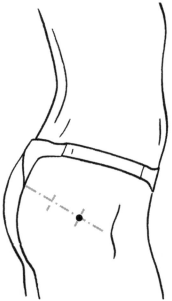

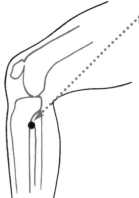

Le point « Source de la colline ensoleillée » *(yinlingquan)*, à masser sur la face interne de la jambe, un peu au-dessous du genou, dans le creux entre la tête du tibia et le muscle du mollet. Le massage de ce point est particulier et doit être fait dans les trois directions : vers la hanche, perpendiculairement et vers le pied.

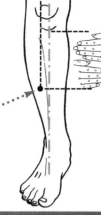

CONTRE LES DOULEURS D'ÉPAULE :

▶ Le point « Ouverture allongée » *(xiajuxu)* est situé sur la face externe de la jambe, à dix travers de doigt en dessous de l'articulation du genou et à un travers de doigt en dehors de la crête du tibia.

De l'exercice

Faire de l'exercice est absolument indispensable pour la prévention et le traitement de l'arthrose. Car le fonctionnement des articulations dépend du travail des muscles : ce sont eux qui assurent le bon positionnement et la bonne irrigation des articulations. L'affaissement du système musculaire et des ligaments est la cause principale des arthroses.

Pourquoi la tension – ou plutôt la tonicité – musculaire est-elle capitale ? Parce que, comme nous l'avons vu, dirigée vers le haut, elle s'oppose à la force de gravité, dirigée, elle, vers le bas. C'est elle qui donne cette sensation de légèreté qui permet un mouvement fluide et sans effort.

La circulation du sang

La circulation dans les jambes

LES EXERCICES À FAIRE

Pour donner un bon coup de pouce à la circulation, il faut compter sur ses muscles. Ils enserrent les veines (qui, contrairement aux artères, ne possèdent pas leur propre système musculaire). Les mettre en action, c'est relancer la pompe. Alors, il faut bouger ! Faire de la gymnastique douce, du *qi gong*, beaucoup de marche et surtout l'exercice des cinq immortels chaque jour.

Quelques conseils viennent compléter les séances d'exercice :

► relever les pieds en hauteur, quand on lit ou qu'on est allongée, aide le sang à remonter vers le cœur, là où il s'oxygène ;

► prendre des douches « contrastées », alternant le chaud et le froid, active la circulation.

En complément

Pour améliorer la circulation du sang, on peut prendre des veinotoniques, notamment du ginkgo biloba (en vente en gélules dans les magasins de diététique et en pharmacie). Le Nootropil, un vasodilatateur (il augmente le calibre des vaisseaux), améliore aussi le fonctionnement du cerveau. Il faut demander conseil à son généraliste avant de le prendre en cure de deux mois environ.

LES POINTS À STIMULER
POUR LA CIRCULATION DANS LES JAMBES

Rien ne sert d'avoir un bon flux sanguin si des barrages viennent bloquer son cours ! Pour les Chinois, ce sont le pancréas et la rate qui permettent une bonne circulation, le premier en éliminant les cellules sanguines défectueuses, la seconde en ouvrant les vannes quand on fait un effort. Pour stimuler ces deux organes :

▶ **Le point « Monticule du sang » *(shangqiu)*, sur la face interne de la cheville, au croisement du bord antérieur et inférieur de la malléole interne.**

▶ **Le point « Source de la colline ensoleillée » *(yinlingquan)*, à masser sur la face interne de la jambe, un peu au-dessous du genou, dans le creux entre la tête du tibia et le muscle du mollet.**

Favoriser l'équilibre

LES POINTS À STIMULER POUR L'ÉQUILIBRE

▶ Les points « Ruisselet d'en arrière » *(houxi)*, – ces deux points symétriques se trouvent sur le bord extérieur de l'auriculaire, au niveau du pli entre la paume et le doigt qui se forme quand on ferme le poing.

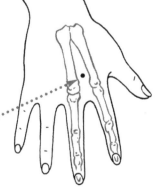

▶ Le point « Souffle du vent » *(fengshi)*, qui se trouve dans la dépression juste derrière chaque oreille, entre le cou et la base du crâne.

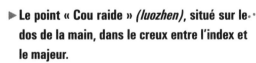

▶ Le point « Cou raide » *(luozhen)*, situé sur le dos de la main, dans le creux entre l'index et le majeur.

Il faut réchauffer ces points en massant dans le sens des aiguilles d'une montre, pendant deux minutes.

▶ La stimulation du point « Barrière interne » *(neiguan)*, sur la face interne de l'avant-bras, à trois travers de doigt au-dessus du pli du poignet, entre les deux tendons proéminents, active la circulation du sang dans les zones cérébelleuses, dans les centres vestibulaires de l'équilibre, normalise la tension artérielle et prévient les vertiges.

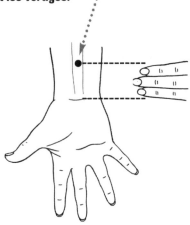

LES POINTS AURICULAIRES

▶ Masser les points suivants :

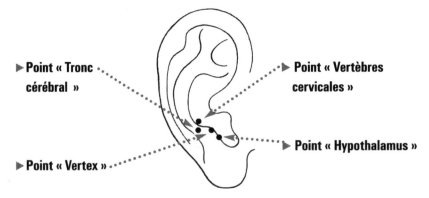

▶ Point « Tronc cérébral »

▶ Point « Vertex »

▶ Point « Vertèbres cervicales »

▶ Point « Hypothalamus »

Préserver la mémoire

L'alimentation

On a l'habitude de l'entendre, et c'est vrai : le phosphore est excellent pour la mémoire. Alors, il faut manger du poisson. De préférence pêché dans une mer froide, car il apportera en plus les bénéfices de l'oméga 3.

DE L'EXERCICE ! LE « TAMBOUR CÉLESTE »

La légende raconte que lors de la naissance de Yu Fei, un oiseau géant se posa sur le toit de sa maison. C'était un signe extraordinaire augurant d'un brillant avenir. Pour cette raison, ses parents le nommèrent Fei, ce qui en chinois signifie « voler ». Yu Fei fut un grand stratège, il devint maréchal et gagna de nombreuses batailles. Mais il inventa aussi un système d'exercices physiques pour stimuler l'énergie vitale. Parmi ces huit exercices, j'ai choisi celui qui s'intitule le « tambour céleste ».

Cet exercice, dans lequel « droite et gauche battent le tambour céleste, le faisant résonner vingt-quatre fois », améliore la circulation du sang dans les zones cérébrales.

En position assise, on couvre ses oreilles avec les paumes de la main, les majeurs se touchant au milieu de l'occiput (à l'arrière de la tête, vers sa base). Cette zone s'appelle « coussin de jade » pour rappeler les centres cérébraux très précieux qu'elle recouvre. On place les index sur les majeurs et, comme pour claquer des doigts, on les fait les claquer sur sa tête. On entend alors un bruit de tambour dans la cavité cérébrale. Effectuer vingt-quatre battements de rythme très régulier, en sachant que l'on peut battre les index ensemble ou en alternance.

LES POINTS À STIMULER
POUR ENTRETENIR LA MÉMOIRE

Dans la médecine traditionnelle chinoise, la stimulation des points d'acupuncture était utilisée pour prévenir et pour ralentir le vieillissement du cerveau, les troubles de la mémoire et des autres fonctions cognitives. Actuellement, de nombreux travaux universitaires prouvent ces observations cliniques [15]. La stimulation de ces points active la circulation du sang, et donc la vascularisation des centres cérébraux. En plus, elle aide à stimuler le mécanisme du glucose (le cerveau se nourrit de sucre) et à neutraliser les radicaux libres. C'est par ce biais qu'elle améliore la mémoire et l'ensemble des fonctions cognitives. L'efficacité de ces points a été remarquée dans plusieurs expériences [16].

▶ Le point « Réunion des cent » *(baihui)*, situé juste au sommet du crâne, au milieu de la ligne qui relie le sommet des oreilles.

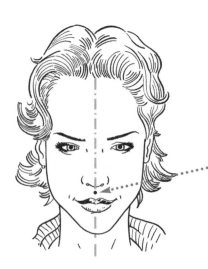

▶ Le point « Milieu de l'homme » *(renzhong)*, qui se trouve au-dessus de la lèvre supérieure, sur la ligne médiane, juste sous le nez.

▶ Le point « Porte d'esprit » *(shenmen)*, situé à l'inté- ⋯⋯⋯⋯⋯ rieur de chaque poignet, sur le pli du poignet, au niveau du petit doigt.

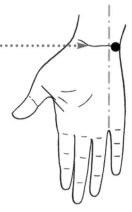

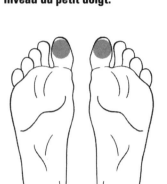

SUR LES PIEDS :
▶ Masser la face interne du gros orteil : cet endroit correspond au cerveau.

Plantes et compléments alimentaires indiqués

Le zinc, le phosphorus et la taurine ont un effet stimulant sur la mémoire et la concentration. Le ginkgo biloba favorise la circulation du sang dans le cerveau.

Apprendre un poème par semaine

La mort neuronale n'existe pas. Les dernières recherches ont montré que la perte de neurones n'excède pas 10 à 20 % entre vingt et quatre-vingt-dix ans. Seules des maladies comme la maladie d'Alzheimer accroissent le processus. En revanche, les capacités cérébrales dépendent de l'activation des connexions entre les neurones : les synapses. Pour garder intact le cerveau, il faut les activer ! Comment faire travailler sa mémoire ? Exactement comme un muscle : en ne la laissant pas au repos. On peut par exemple apprendre un poème, une fable, une chanson, une tirade par semaine. Ou alors utiliser les jeux électroniques qui entraînent la mémoire.

La vue

Par les substances immunitaires et les neurohormones qu'il sécrète, le foie joue un rôle prépondérant dans la protection des yeux.

LES POINTS À MASSER POUR STIMULER LA VUE

Le point « Trou de la pupille » *(tong-ziliao)*, dans la dépression sur le bord latéral de l'orbite.

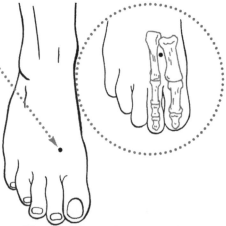

Le point « Grand croisement » *(taichong)*, qui se trouve sur le pied, dans l'espace entre le gros orteil et le deuxième orteil.

Il faut prendre des antioxydants, des vitamines E, A et sa provitamine – le bêta-carotène –, ainsi que du sélénium. On renforcera aussi le foie en prenant souvent des jus de fruits et des légumes.

La plante indiquée

La myrtille, qui renforce la rétine.

À retenir

Cette décennie entamée, on arrive à un nouveau tournant : une énergie qui décroît. Mais, en stimulant les muscles, la mémoire et toutes les fonctions par des exercices et des points d'acupuncture, les effets qui y sont liés seront atténués. On continuera à vivre de manière active et on passera les décennies suivantes en forme. Certes, l'allant dépend désormais d'une bonne discipline du corps et d'une bonne hygiène de vie, mais également de la vie sociale : aussi étonnant que cela paraisse, l'affectif joue un rôle important sur la santé, notamment sur la vue, la mémoire et tous les organes liés aux cinq sens.

LES BONS GESTES

Chaque jour :

- au réveil, un verre d'eau tiède additionnée d'un jus de citron ;
- une gélule (150 mg) de vitamine E, un mois sur deux. À compléter par un cocktail de vitamines A, C et de sélénium ;
- une gélule de probiotiques (voir p. 51) ;
- une cuillerée à café de curcuma ;
- une gélule de silice matin et soir ;
- masser les seins par des mouvements circulaires, une trentaine de fois dans un sens, une trentaine de fois dans l'autre ;
- faire l'exercice des cinq immortels.

Conclusion
Les immortelles

« Bien que la tortue vive très longtemps, elle meurt tôt ou tard.
La durée de la vie ne dépend pas uniquement du Ciel,
Mais on parvient à la pérennité en soignant bien sa santé. »
CAO CAO (155-220)

Une légende raconte qu'un beau jour, l'empereur de Chine demanda à voir le plus vieil homme du pays. Après de longues recherches, les ministres trouvèrent le paysan Li, qui avait cent dix ans. Sa femme en avait quatre-vingt-dix. L'empereur lui demanda alors ses secrets de longévité. Le paysan Li s'inclina trente fois et répondit : « Majesté, je n'ai aucun secret, seulement, une fois par mois, quand la lune est pleine, ma femme et moi réchauffons le point "Trois distances de la jambe", qui se trouve à trois distances au-dessous des genoux. »

Plusieurs années s'écoulèrent. La dynastie Song prit la place de l'ancienne, et le nouvel empereur, à son tour, demanda à voir le plus vieil homme de la Chine. Après de longues recherches, les ministres trouvèrent le paysan Li, qui avait cent quarante ans, et sa femme, qui en avait cent vingt. L'empereur lui demanda alors ses secrets de longévité. Le paysan Li s'inclina trente fois et répondit : « Majesté, je n'ai aucun secret, seulement, une fois par mois, quand la lune est pleine, ma femme et moi réchauffons le point "Trois distances de la jambe", qui se trouve à trois distances au-dessous des genoux. »

Le vieillissement n'est pas un événement passif, mais un processus métabolique, activement réglé et dirigé. Les gènes spécifiques, responsables du processus du vieillissement et de la longévité, sont identifiés. Les chercheurs japonais ont découvert le klotho-gène, le gène de l'anti-âge [1]. L'inhibition de ce gène provoque un vieillissement immédiat chez les souris, tandis que sa présence empêche le vieillissement de l'organisme et du cerveau et améliore la mémoire, les autres fonctions cognitives, ainsi que l'intégrité des poumons et du système cardio-vasculaire.

Mais le processus du vieillissement, et donc la longévité, n'est sous influence génétique que partiellement. L'environnement, le régime alimentaire, l'activité physique peuvent aussi le ralentir. En outre, la stimulation des points d'acupuncture a une action au niveau génétique en agissant précisément sur l'expression des gènes du vieillissement. Le point *shensu* par exemple a été identifié pour ralentir le vieillissement du système génital [2]. Bon nombre d'études récentes ont montré comment l'acupuncture prévient partiellement ou complètement l'altération de ces gènes [3]. Des recherches sont en cours sur la manière d'utiliser ces découvertes dans les thérapies médicales.

Les recherches scientifiques confirment que l'atrophie encéphalique de l'homme commence à l'âge de quarante ans [4]. Mais la diminution du cerveau s'avère moindre chez les personnes âgées qui font régulièrement usage de leur esprit. D'où une expression chinoise ancienne : « L'usage fréquent du cerveau prolonge la jeunesse. » Les centenaires ont toujours plaisir à écrire des poèmes, à déclamer des vers et à jouer aux échecs. Ces passions favorisent le travail du cerveau, l'exercice de l'intelligence, la formation du caractère et l'amélioration du moral.

Vers la fin de ce livre, l'image de Tamara, mon professeur d'acupuncture et de chinois, me revient. Née en Pologne, elle parle cinq langues ; s'intéresse à tout, sait écouter avec des yeux bienveillants ceux qui se confient à elle. Le secret de beauté des octogénaires vient de la bonté et de l'intérêt qu'ils portent aux autres. Tamara a passé vingt ans de sa vie et une bonne partie de sa jeunesse dans les prisons chinoises, elle y a côtoyé des philosophes, des médecins et quelques maîtres taoïstes. Malgré ces mauvais souvenirs, elle continue à adorer la Chine.

La force et la vitalité de Tamara m'enchantent. Elle est si belle, avec ses yeux clairs, sa masse de cheveux blancs récemment coupés court.

Sa maison est cachée dans la montagne suisse, près d'un lac, protégée par un cercle de montagnes. J'aime ce refuge : chaque chose y est à sa place, avec juste ce qu'il faut, très commode et sans superflu. Un peu comme elle.

Le jardin est magique, toujours plein de fleurs, comme si Tamara avait un pouvoir sur les saisons. Un grand séquoia règne au milieu. Cette vieille dame dit que dans quelques siècles, on pourra construire une maison dans ses branches.

Mais elle, elle travaille, traduit encore des textes chinois, enseigne la langue, ou écrit des textes qu'elle envoie sur un ordinateur qu'elle maîtrise à merveille.

Elle essaie de rendre son expérience de longue vie accessible à tous, de diffuser ses connaissances ancestrales, d'enseigner l'art d'accumuler les années en gardant toutes ses capacités physiques et intellectuelles.

Je me souviens d'une de ses visites à Paris. Elle a parcouru toutes les librairies chinoises de Paris, à la recherche d'un manuel très rare, parlant le chinois avec les Chinois, le français avec les Français. Elle a fini par dénicher le livre. De retour à la maison, j'étais épuisée par cette course folle. Elle, elle souriait, toujours aussi fraîche, en préparant un bon thé.

Ce livre a peut-être commencé avec elle, quand nous étions assises autour de sa petite table basse en bois, en sirotant du thé.

Dans un moment de faiblesse, je lui ai dit : « Tamara, je ne veux pas que tu vieillisses, j'ai peur, je ne veux pas te voir vieillir ! » Tamara m'a répondu en souriant : « C'est très gentil de ta part, mais vieillir est encore le seul moyen de vivre longtemps ! »

J'ai alors pensé : « Vivre longtemps est une chose merveilleuse, mais ce qui est encore plus extraordinaire, c'est de vivre bien longtemps. » J'espère que, grâce à ce livre, une longue et belle vie, au meilleur de votre forme, s'ouvre devant vous.

Annexes

Annexe 1
L'art de la séduction
et du plaisir amoureux

Séduire, le secret des concubines

Pendant des milliers d'années, les concubines des empereurs chinois ont développé une arme secrète – l'art de la séduction. Leur but : plaire à l'empereur, le séduire sans fin. Les légendes racontent que les empereurs chinois avaient des capacités extraordinaires. Ils étaient capables de faire l'amour avec plusieurs de leurs concubines tout au long d'une nuit, voire pendant plusieurs jours et nuits de suite. Et cela était possible grâce aux connaissances des femmes, qui savaient prolonger le plaisir de l'empereur, sans l'épuiser. Évidemment, cet art les rendait encore plus désirables et indispensables !

Les techniques du massage des points d'acupuncture jouent un rôle primordial dans cet art. Voici le secret des concubines.

Pour éveiller le désir

Le point « Ouverture de la source » *(guanyuan)* se trouve sur la ligne médiane du bas-ventre, à quatre travers de doigt au-dessous du nombril. La stimulation de ce point – un massage léger et doux, même de courte durée (il suffit juste de quelques mouvements) – éveille le désir et assure le début de l'érection, stable et durable.

Pour prolonger le désir

Ce sont les huit points sacrés *(baliao)* – les quatre paires de points symétriques qui se trouvent dans chaque trou du sacrum.

Leur stimulation (un massage léger pendant quelques instants) augmente l'apport de sang dans les organes génitaux, assure une forte durée de l'érection et prolonge considérablement l'acte amoureux.

Chez l'homme, le point « Dix millions de dollars » ou « Source du *yang* » *(huiyin)* fut un secret strictement gardé pendant des siècles, dit la légende. La stimulation de ce point visait à empêcher l'empereur de perdre ses essences pendant le plaisir. Car l'éjaculation qui accompagne l'orgasme épuise l'énergie. L'art des concubines constituait donc à empêcher l'écoulement du sperme, en appuyant, juste avant l'orgasme, sur le point « Source du *yang* », qui se trouve juste au milieu du périnée, à mi-distance entre l'implantation des testicules et l'anus. En comprimant ce point, vous bloquez le petit vaisseau d'écoulement du sperme, mais vous conservez tout le plaisir. Ainsi, vous pouvez multiplier le nombre d'orgasmes à l'infini.

Annexe 2
Lutter contre les addictions

Le tabac

Les Françaises fument de plus en plus. On connaît pourtant tous les méfaits du tabac : la nicotine fatigue, accroît le stress, asphyxie le cerveau, encrasse les poumons, abaisse les défenses immunitaires, abîme la peau, favorise le cancer… Et pourtant, même en sachant que c'est l'ennemi n° 1, il est bien difficile d'arrêter, car la nicotine finit par entrer dans le métabolisme. La dépendance ne se soigne pas à coups de volonté. Si vous êtes motivée, la stimulation des points d'acupuncture peut vous aider à vous débarrasser de la cigarette. En effet, les points d'acupuncture resensibilisent les récepteurs des cellules nerveuses saturées par la nicotine. Ainsi, toute dépendance physiologique est neutralisée.

Les points à masser

- Le point « Vallée principale » *(shuaigu)*, qui se trouve de chaque côté de la tête, dans la dépression à un travers de doigt au-dessus du pavillon des oreilles.
Ce point est utilisé également pour le sevrage de toutes les drogues. Dans ce cas, il faut pratiquer un massage pendant deux ou trois minutes (des mouvements en spirale dans le sens des aiguilles d'une montre), tous les jours, et chaque fois que l'on a envie de reprendre une cigarette.

● Les deux points symétriques « Accueil des parfums » *(yingxiang)* agissent sur l'odorat : l'odeur de la cigarette devient insupportable. Appuyez avec l'index ou l'auriculaire au niveau de l'insertion des ailes du nez.

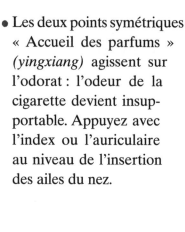

● Les deux points symétriques « Éclair » *(lieque)*, situés sur la face externe de l'avant-bras, à deux travers de doigt au-dessus du pli du poignet, juste au-dessus de l'os du poignet. Ils agissent autant sur le psychisme que sur les voies respiratoires.

Tous ces points sont facilement accessibles et on peut les stimuler quand on sent le besoin d'allumer une cigarette.

L'alcool

Une fois, pendant le carême, un homme respectable fut enlevé par les pirates. Ceux-ci lui donnèrent le choix : il devait rompre un des trois principes du carême, sinon, il serait tué. Les trois interdictions sacrées du carême sont : ne pas boire de l'alcool, ne pas coucher avec une femme et ne pas tuer de mouton. L'homme respectable se dit que parmi ces trois péchés, boire de l'alcool était le moins grave. Alors, l'homme but du vin… Et après cela, de son propre gré, il tua un mouton et viola une femme !

Voici la petite histoire qui circule en Russie, pays bien connu pour sa vodka ravageuse ! Il faut savoir que l'alcool détruit le système nerveux central. Il détériore la mémoire, la concentration, il fatigue, et il est source de dramatiques accidents de la route. Même à faible dose, il a une forte action toxique sur le foie. Il est donc préférable d'en consommer le moins souvent possible.

Les points d'acupuncture sont très efficaces pour se débarrasser de la « gueule de bois », mais aussi pour arrêter de boire [1].

Les points à masser

- Le point « Bout du nez » *(suliao)*, qui se trouve au milieu du bout du nez.

- Les deux points symétriques « Joie opprimée » *(lidui)*, qui se trouvent sur chaque pied, à l'angle extérieur de l'ongle du deuxième orteil.

  La stimulation de ces points permet d'atténuer complètement les signes neurologiques de l'ivresse, mais aussi protège le foie de l'action toxique de l'alcool.

● Sur le dos, les points « Assentiment du foie » *(ganshu)*, à deux travers de doigt en dehors de la colonne vertébrale, dans l'espace entre la neuvième et la dixième vertèbre dorsale. Pour trouver ces points, partez de la pointe inférieure des omoplates, descendez de deux travers de doigt. C'est à ce niveau que se trouve l'espace entre la neuvième et la dixième vertèbre dorsale. Les points se situent de part et d'autre de la colonne vertébrale.

Ces points étant peu accessibles, on peut se faire masser par un proche !

Annexe 3
Voyager sereinement

Les bons gestes en voyage

Deux semaines avant le voyage

En cas de voyage en Asie ou en Afrique, le changement de climat et de nourriture pourrait bien bousculer les intestins. Pour prévenir cela, on peut commencer une cure de probiotiques à avaler matin et soir. Continuer ce traitement sur place pour renforcer ses défenses.

Dans la trousse de voyage

- Les médicaments habituels.
- Dans des zones tropicales, prévoir un désinfectant pour l'eau, comme des comprimés de chlorure de sodium et d'argent.
- Contre les diarrhées : il faut éviter de boire de l'eau non capsulée, de manger les légumes et les fruits crus (sauf quand on les épluche). Un antiseptique intestinal (type Ercefuryl) et un antidiarrhéique (type Immodium) seront utiles. Attention, il ne faut jamais utiliser un antidiarrhéique sans l'antiseptique, au risque de bloquer toutes les toxines dans les intestins ! On peut aussi emporter du charbon de Belloc, un excellent anti-microbien. À absorber, à raison de six gélules par jour, en cas de diarrhées, nausées ou vomissements.
- Des médicaments contre le décalage horaire si nécessaire (voir plus loin).

En avion

Prendre trois gélules de ginkgo biloba par jour, la veille, le jour même et le lendemain d'un vol long-courrier, ou d'un grand trajet en voiture. Ce veinotonique atténuera les problèmes circulatoires. La circulation des jambes est entravée par la position assise prolongée. Pendant le vol, si les conditions le permettent, il faut se lever régulièrement pour faire quelques pas.

Enfiler des bas ou des chaussettes de contention : ils empêchent les veines de se dilater et favorisent le retour veineux.

Porter une ceinture cervicale ou lombaire si vous souffrez du cou ou des épaules. Elle amortira les microtraumatismes douloureux dus aux transports.

Contre le mal des transports

Contre la nausée en voiture, en bus ou en bateau, dès l'embarquement et aussi souvent que possible pendant le trajet, masser le point « Barrière interne » (neiguan), sur la face interne de l'avant-bras, à trois travers de doigt au-dessus du pli du poignet, entre les deux tendons proéminents. Il existe aussi un bracelet muni d'une petite pointe qui maintient la pression juste à cet endroit. Ce système est souverain pour faire face aux vertiges et aux nausées.

Contre le décalage horaire

On est généralement sensible au décalage horaire pendant les trois premiers jours. Au-delà, l'organisme se synchronise à l'alternance jour et nuit. On peut avoir recours à l'homéopathie : *Berberis* 5 ch, trois granules à faire fondre sous la langue avant de se coucher, les trois premiers soirs.

Prendre un comprimé de 3 mg au coucher les trois premiers soirs. La mélatonine présente l'avantage de stimuler aussi les défenses immunitaires.

Enfin, pour aider à s'endormir, réchauffer le point « Montagne Kunlun » *(kunlun)*, dans le creux entre la malléole externe et le tendon d'Achille.

Annexe 4
Renforcer ses défenses
au fil des saisons

Chaque saison apporte son lot d'agressions. Il faut donc renforcer les organes fragilisés par les variations de climat en stimulant ses défenses immunitaires.

Printemps

Agressions : le vent, les pollens, la pluie
Organes cibles fragilisés : le foie et la vésicule biliaire
Maladies fréquentes : le rhume des foins (le nez coule, les yeux pleurent)
Prévention :
- Faire une cure de radis noir (une ampoule le matin) et boire des tisanes de tilleul pour drainer le foie.
- Aux alentours de Pâques, manger moins et plus léger (moins de viande et de sauces, plus de légumes et de fruits). Ce n'est pas un hasard si toutes les religions recommandent le jeûne à cette période.

Été

Agression : la chaleur
Organes cibles fragilisés : le cœur, les vaisseaux sanguins
Prévention :
- Manger des fruits secs riches en potassium (indispensable au muscle cardiaque) et en antioxydants : abricots, raisins, figues, bananes, pruneaux ; mais aussi amandes, noix, pistaches.

- Se supplémenter en ginkgo biloba et en rutin (dosage sur l'emballage), deux plantes qui renforcent les parois veineuses et artérielles.
- Boire beaucoup d'eau fraîche pour compenser la déshydratation due à la chaleur.
- Masser le point « Marécage du pied » *(chize)*, situé sur la face intérieure du bras, dans le pli du coude, au niveau du creux externe du tendon.

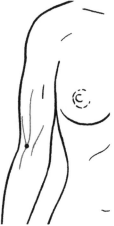

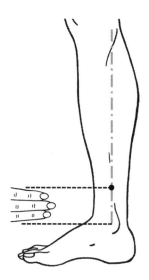

- En fin d'été (et à toutes les intersaisons), faire une cure d'enzymes digestives et de charbon pour détoxifier le foie. Et masser le point « Réunion des trois *yin* » *(sanyinjiao)*, sur la face interne du mollet, à trois travers de doigt au-dessus du point le plus proéminent de la malléole interne.

Automne

Agressions : la fraîcheur, la sécheresse
Organes cibles fragilisés : les poumons, les voies respiratoires
Prévention :
- Faire une cure d'échinéacée ou de lapacho, deux plantes souveraines contre les affections de l'hiver, rhume et grippe.

- Poser sur le radiateur du salon ou de la chambre un humidificateur d'air rempli d'eau et de quelques gouttes d'huile essentielle d'eucalyptus, antiseptique des voies respiratoires.
- Se laver le nez, chaque jour, avec de l'eau de mer.

Hiver

<u>Agressions</u> : le froid, la sécheresse
Organes cibles fragilisés : les articulations, les lombaires
<u>Prévention</u> :
- Garder au chaud les pieds et le dos.
- Faire une cure de prêle (dosage sur la boîte), une plante qui prévient la destruction des cartilages et renforce les articulations.

Notes

NOTES DES AVANT-PROPOS

1. STÉPHAN J.-M., « Mécanismes neurophysiologiques de l'électroacupuncture dans les algies », *Acupuncture & Moxibustion*, n° 7 (2), 2008, p. 127-137.

2. VOLF N., FERDMAN L., ANTIPOV L., « Résistance immunitaire spécifique et non spécifique chez les enfants souffrant de maladies contagieuses », in *Résistance immunitaire spécifique et non spécifique chez les enfants souffrant de maladies contagieuses*, 1983, p. 23-27.

3. VOLF N., FERDMAN L., « Le rôle du diagnostic d'acupuncture dans le traitement des enfants souffrant d'asthme bronchique », *Synthèse des rapports du 2ᵉ Congrès mondial d'acupuncture et de moxibustion*, 1990, p. 334.

4. NARONGPUNCT V., ALIMI D., DACTU S., IBOS L., FONTAS B., CANDAU Y., BLOCH S., « La symétrie anatomique d'un méridien d'acupuncture traditionnelle chinoise par visualisation thermographique infrarouge », *Acupuncture & Moxibustion*, n° 5, 2006, p. 132-141.

5. **Stimulation des points d'acupuncture et action sur le cerveau**
Les études d'exploration de la résonance magnétique fonctionnelle (IRM fonc-tionnelle) du cerveau lors de l'acupuncture ont prouvé que chaque point d'acupuncture agit spécifiquement dans des zones précises du cerveau, différentes en fonction du point stimulé. Tandis que le point « placebo » n'a aucune action sur le cerveau.
FANG S.H., ZHANG S.Z., LIU H., « Study on brain response to acupuncture by functional magnetic resonance imaging – observation on 14 healthy subjects », *Zhongguo Zhong Xi Yi Jie He Za Zhi*, n° 26, nov. 2006, p. 965-968.
YAN B., LI K., XU J., WANG W., LI K., LIU H., SHAN B., TANG X., « Acupoint-specific fMRI patterns in human brain », *Neurosci. Lett.*, n° 383 (3), 5 août 2005, p. 236-240.
LI G., LIU H.L., CHEUNG R.T., HUNG Y.C., WONG K.K., SHEN G.G., MA Q.Y., YANG E.S., « An fMRI study comparing brain activation between word genera-tion and electrical stimulation of language-implicated acupoints », *Hum. Brain Mapp.*, n° 18 (3), mars 2003, p. 233-238.
CHEN A.C., LIU F.J., WANG L., ARENDT-NNIELSEN L., « Mode and site of acupunc-ture modulation in the human brain : 3D (124-ch) EEG power spectrum mapping and source imaging », *Neuroimage*, n° 29 (4), fév. 2006, p. 1080-1091.
KONG J., MA L., GOLLUB R.L., WEI J., YANG X., LI D., WENG X., JIA F., WANG C., LI F., LI R., ZHUANG D., « A pilot study of functional magnetic resonance imaging of the brain during manual and electroacupuncture stimulation of acupuncture point (LI-4 Hegu) in normal subjects reveals differential brain activation between methods », *J. Altern. Complement. Med.*, n° 8 (4), août 2002, p. 411-419.

NAPADOW V., MAKRIS N., LIU J., KETTNER N.W., KWONG K.K., HUI K.K. « Effects of electroacupuncture versus manual acupuncture on the human brain as measured by fMRI », *Hum. Brain Mapp.*, n° 24 (3), mars 2005, p. 193-205.

LI K., SHAN B., XU J., LIU H., WANG W., ZHI L., LI K., YAN B., TANG X., « Changes in fMRI in the human brain related to different durations of manual acupuncture needling », *J. Altern. Complement. Med.*, n° 12 (7), sept. 2006, p. 615-623.

CHIU J.H., CHUNG M.S., CHENG H.C., YEH T.C., HSIEH J.C., CHANG C.Y., KUO W.Y., CHENG H., HO L.T., « Different central manifestations in response to electroacupuncture at analgesic and nonanalgesic acupoints in rats : a manganese-enhanced functional magnetic resonance imaging study », *Can. J. Vet. Res.*, n° 67 (2), mai 2003, p. 94-101.

HUI K.K., LIU J., MAKRIS N., GOLLUB R.L., CHEN A.J., MOORE C.I., KENNEDY D.N., ROSEN B.R., KWONG K.K., « Acupuncture modulates the limbic system and subcortical gray structures of the human brain : evidence from fMRI studies in normal subjects », *Hum. Brain Mapp.*, n° 9 (1), 2000, p. 13-25.

HUI K.K., LIU J., MARINA O., NAPADOW V., HASELGROVE C., KWONG K.K., KENNEDY D.N., MAKRIS N., « The integrated response of the human cerebro-cerebellar and limbic systems to acupuncture stimulation at ST 36 as evidenced by fMRI », *Neuroimage*, n° 27 (3), sept. 2005, p. 479-496.

HSIEH J.C., TU C.H., CHEN F.P., CHEN M.C., YEH T.C., CHENG H.C., WU Y.T., LIU R.S., HO L.T., « Activation of the hypothalamus characterizes the acupuncture stimulation at the analgesic point in human : a positron emission tomography study », *Neurosci. Lett.*, n° 307 (2), 13 juil. 2001, p. 105-108.

GONG P., ZHANG M.M, JIANG L.M., « Research on effect of acupuncture at Sanyinjiao on brain function by means of positron emission tomographic imaging », *Zhongguo Zhong Xi Yi Jie He Za Zhi*, n° 26 (2), fév. 2006, p. 119-222.

WU M.T., SHEEN J.M., CHUANG K.H., YANG P., CHIN S.L., TSAI C.Y., CHEN C.J., LIAO J.R., LAI P.H., CHU K.A., PAN H.B., YANG C.F., « Neuronal specificity of acupuncture response : a fMRI study with electroacupuncture », *Neuroimage*, n° 16 (4), 2002, p. 1028-1037.

ZHANG W.T., JIN Z., HUANG J., ZHANG L., ZENG Y.W., LUO F., CHEN A.C., HAN J.S., « Modulation of cold pain in human brain by electric acupoint stimulation : evidence from fMRI », *Neuroreport*, n° 14 (12), 2003, p. 1591-1596.

6. NIBOYET J., *Traité d'acupuncture*, Maisonneuve, Metz, 1970.

TSENG C.C., CHANG C.L., LEE J.C., CHEN T.Y., CHENG J.T., « Attenuation of the catecholamine responses by electroacupuncture on Jen-Chung point during postoperative recovery period in humans », *Neurosci. Lett.*, n° 228 (3), 13 juin 1997, p. 187-190.

NOTES DU CHAPITRE DE 20 À 30 ANS

1. WELLS P.G., MCCALLUM G.P., CHEN C.S., HENDERSON J.T., LEE C.J., PERSTIN J., PRESTON T.J., WILEY M.J., WONG A.W., « Oxidative stress in developmental origins of disease : teratogenesis, neurodevelopmental deficits and Cancer », *Toxicol. Sci.*, 6 janv. 2009.

RIBOLI E., NORAT T., « Epidemiologic evidence of the protective effect of fruits and vegetables on cancer risk », *Am. J. Clin. Nutr.*, n° 78 (3 Suppl.), sept. 2003, p. 559S-569S.

LA VECCHIA C., ALTIERI A., TAVANI A., « Vegetables, fruits, antioxidants and cancer : a review of italian studies », *Eur. J. Nutr.*, n° 40 (6), déc. 2001, p. 261-267.

2. Effets de l'acupuncture sur les règles douloureuses

LI W.L., LIU L., SUN L.H., « Analysis on therapeutic effect of substance-partitioned moxibustion at *guanyuan* (CV 4) and *shenque* (CV 8) for treatment of primary dysmenorrhea of cold-damp type », *Zhongguo Zhen Jiu*, n° 26 (7), juil. 2006, p. 481-482.

WANG S.M., LI X.G., ZHANG L.Q., XU Y.C., LI Q., « Clinical observation on medicine-separated moxibustion for treatment of primary dysmenorrhea and study on the mechanism », *Zhongguo Zhen Jiu.*, n° 25 (11), nov. 2005, p. 773-775.

3. Contraception orale

KRAUSE D.N., DUCKLES S.P., PELLIGRINO D.A., « Influence of sex steroid hormones on cerebrovascular function », *J. Appl. Physiol.*, n° 101 (4), oct. 2006, p. 1252-1261.

SILBERSTEIN S.D., MERRIAM G.R., « Sex hormones and headache », *J. Pain Symptom Manage.*, n° 8 (2), fév. 1993, p. 98-114.

SCHIPPER H.M., « Neurology of sex steroids and oral contraceptives », *Neurol. Clin.*, n° 4 (4), nov. 1986, p. 721-751.

4. Hachisch

TASCHNER K.L., « Psychopathology and differential diagnosis of so-called cannabis psychoses », *Fortschr. Neurol. Psychiatr.*, n° 51 (7), juil. 1983, p. 235-248.

WITTCHEN H.U., FROHLICH C., BEHRENDT S., GUNTHER A., REHM J., ZIMMERMANN P., LIEB R., PERKONIGG A., « Cannabis use and cannabis use disorders and their relationship to mental disorders : A 10-year prospective-longitudinal community study in adolescents », *Drug Alcohol Depend.*, 24 janv. 2007.

MEDINA K.L., SHEAR P.K., CORCORAN K., « Ecstasy (MDMA) exposure and neuropsychological functioning : a polydrug perspective », *J. Int. Neuropsychol. Soc.*, n° 11 (6), oct. 2005, p. 753-765.

MEDINA K.L., SHEAR P.K., « Anxiety, depression, and behavioral symptoms of executive dysfunction in ecstasy users : Contributions of polydrug use », *Drug Alcohol Depend.*, 28 oct. 2006.

Efficacité des points d'acupuncture sur les drogues

BREWINGTON V., SMITH M., LIPTON D., « Acupuncture as a detoxification treatment : an analysis of controlled research », *J. Subst. Abuse Treat.*, n° 11 (4), juil.-août 1994, p. 289-307.

5. Actions de la vitamine E

DORJGOCHOO T., SHRUBSOLE M.J., SHU X.O., LU W., RUAN Z., ZHENG Y., CAI H., DAI Q., GU K., GAO Y.T., ZHENG W., « Vitamin supplement use and risk for breast cancer : the Shanghai Breast Cancer Study », *Breast Cancer Res. Treat.*, 5 oct. 2007.

CHRISTEN W.G., LIU S., GLYNN R.J., GAZIANO J.M., BURING J.E., « Dietary carotenoids, vitamins C and E, and risk of cataract in women : a prospective study », *Arch. Ophthalmol.*, n° 126 (1), janv. 2008, p. 102-109.

RINO Y., SUZUKI Y., KUROIWA Y., YUKAWA N., SAEKI H., KANARI M., WADA H., INO H., TAKANASHI Y., IMADA T., « Vitamin E malabsorption and neurological consequences after gastrectomy for gastric cancer », *Hepatogastroenterology*, n° 54 (78), sept. 2007, p. 1858-1861.

6. VOLLE D.H., LOBACCARO J.M., « Role of the nuclear receptors for oxysterols LXRs in steroidogenic tissues : beyond the "foie gras", the steroids and sex ? », *Mol. Cell. Endocrinol.*, n° 265-266, fév. 2007, p. 183-189.

7. HACQUEBARD M., CARPENTIER Y.A., « Vitamin E : absorption, plasma transport and cell uptake », *Curr. Opin. Clin. Nutr. Metab. Care*, n° 8 (2), mars 2005, p. 133-138.

HUANG H.S., MA M.C., CHEN J., « Low-vitamin E diet exacerbates calcium oxalate crystal formation via enhanced oxidative stress in rat hyperoxaluric kidney », *Am. J. Physiol. Renal Physiol.*, n° 296 (1), janv. 2009, p. F34-45.

8. Frederiksen H., Taxvig C., Hass U., Vinggaard A.M., Nellemann C., « Higher levels of ethyl paraben and butyl paraben in rat amniotic fluid than in maternal plasma after subcutaneous administration », *Toxicol. Sci.*, n° 106 (2), oct. 2006, p. 376-383.

Koppe J.G., Bartonova A., Bolte G., Bistrup M.L., Busby C., Butter M., Dorfman P., Fucic A., Gee D., Van den Hazel P., Howard V., Kohlhuber M., Leijs M., Lundqvist C., Moshammer H., Naginiene R., Nicolopoulou-Stamati P., Ronchetti R., Salines G., Schoeters G., Ten Tusscher G., Wallis M.K., Zuurbier M., « Exposure to multiple environmental agents and their effect », *Acta Paediatr. Suppl.*, n° 95 (453), déc. 2008, p. 106-113.

9. Gershon M., *The second brain : a groundbreaking new understanding of nervous disorder of the stomach and intestine*, Harper Collins Publisher, New York, 1998.

10. Kozin V., « L'arme secrète des champions olympiques chinois », *Komsomolskaya Pravda*, n° 22, 28 août 2008, p. 32.

11. **Laitages et acné**
Adebamowo C.A., Spiegelman D., Berkey C.S., Danby F.W., Rockett H.H., Colditz G.A., Willett W.C., Holmes M.D., « Milk consumption and acne in adolescent girls », *J. Am. Acad. Dermatol.*, n° 58 (5), mai 2008, p. 787-793.

12. **Régulation des points de l'appétit et douleurs gastriques**
Xu F., Chen R., « Reciprocal actions of acupoints on gastrointestinal peristalsis during electroacupuncture in mice », *J. Tradit. Chin. Med.*, n° 19 (2), juin 1999, p. 141-144.

Qian L.W., Lin Y.P., « Effect of electroacupuncture at *zusanli* (ST36) point in regulating the pylorus peristaltic function », *Zhongguo Zhong Xi Yi Jie He Za Zhi*, n° 13 (6), juin 1993, p. 324, 336-339.

Xu J., Huang X., Wu B., Hu X., « Influence of mechanical pressure applied on the stomach meridian upon the effectiveness of acupuncture of *zusanli* », *Zhen Ci Yan Jiu*, n° 18 (2), 1993, p. 137-142.

Li X.P., Yan J., Yi S.X., Chang X.R., Lin Y.P., Yang Z.B., Huang A., Hu R., « Effect of electroacupuncture on gastric mucosal intestinal trefoil factor gene expression of stress-induced gastric mucosal injury in rats », *World J. Gastroenterol.*, n° 12 (12), 28 mars 2006, p. 1962-1965.

Zhou B., Hou S.Z., « Application of acupuncture in imaging of changing pyloric antrum and duodenal bulb metamorphosis », *Zhongguo Zhen Jiu*, n° 26 (9), sept. 2006, p. 633-634.

13. **Oméga 3 et effets antidépresseurs**
Stoll A.L., Damico K.E., Daly B.P., Severus W.E., Marangell L.B., « Methodological considerations in clinical studies of omega 3 fatty acids in major depression and bipolar disorder », *World Rev. Nutr. Diet.*, n° 88, 2001, p. 58-67.

Ferraz A.C., Kiss A., Araújo R.L., Salles H.M., Naliwaiko K., Pamplona J., Matheussi F., « The antidepressant role of dietary long-chain polyunsaturated n-3 fatty acids in two phases in the developing brain », *Prostaglandins Leukot. Essent. Fatty Acids*, n° 78 (3), mars 2008, p. 183-188.

NOTES DU CHAPITRE DE 30 À 40 ANS

1. **Émotions positives et amélioration des défenses immunitaires**
Kimata H., « Kissing selectively decreases allergen-specific IgE production in atopic patients », *J. Psychosom. Res.*, n° 60 (5), mai 2006, p. 545-547.

KIMATA H., « Suckling reduces allergic skin responses and plasma levels of neuro-peptide and neurotrophin in lactating women with atopic eczema/dermatitis syndrome », *Int. Arch. Allergy Immunol.*, n° 132 (4), déc. 2003, p. 380-383.

2. Actions de la vitamine E
DORJGOCHOO T., SHRUBSOLE M.J., SHU X.O., LU W., RUAN Z., ZHENG Y., CAI H., DAI Q., GU K., GAO Y.T., ZHENG W., « Vitamin supplement use and risk for breast cancer : the Shanghai Breast Cancer Study », *Breast Cancer Res. Treat.*, 5 oct. 2007.
CHRISTEN W.G., LIU S., GLYNN R.J., GAZIANO J.M., BURING J.E., « Dietary caro-tenoids, vitamins C and E, and risk of cataract in women : a prospective study », *Arch. Ophthalmol.*, n° 126 (1), janv. 2008, p. 102-109.
RINO Y., SUZUKI Y., KUROIWA Y., YUKAWA N., SAEKI H., KANARI M., WADA H., INO H., TAKANASHI Y., IMADA T., « Vitamin E malabsorption and neurological consequences after gastrectomy for gastric cancer », *Hepatogastroenterology*, n° 54 (78), sept. 2007, p. 1858-1861.

5. GERSHON M., *The second brain : a groundbreaking new understanding of nervous disorder of the stomach and intestine*, Harper Collins, New York, 1998.

3. Régimes alimentaires et migraines
PEATFIELD R.C., GLOVER V., LITTLEWOOD J.T., SANDLER M., CLIFFORD ROSE F., « The prevalence of diet-induced migraine », *Cephalalgia*, n° 4 (3), sept. 1984, p. 179-183.
SAVI L., RAINERO I., VALFRÈ W., GENTILE S., LO GIUDICE R., PINESSI L., « Food and headache attacks. A comparison of patients with migraine and tension-type headache », *Panminerva Med.*, n° 44 (1), mars 2002, p. 27-31.
PEATFIELD R.C., « Relationships between food, wine, and beer-precipitated migrainous headaches », *Headache*, n° 35 (6), juin 1995, p. 355-357.

4. Musique et allergies
KIMATA H., « Listening to Mozart reduces allergic skin wheal responses and in vitro allergen-specific IgE production in atopic dermatitis patients with latex allergy », *Behav. Med.*, n° 29 (1), printemps 2003, p. 15-19.

NOTES DU CHAPITRE LA GROSSESSE

1. Utilisation de l'acupuncture pendant la grossesse
COUTURIER L., « L'acupuncture à toutes les étapes de la grossesse », *Le Quotidien du médecin*, n° 7949, 27 avril 2006.

2. Contraception et fertilité
ALAM S.M., PAL R., NAGAR S., ISLAM M.A., SAHA A., « Pharmacophore search for anti-fertility and estrogenic potencies of estrogen analogs », *J. Mol. Model.*, n° 14 (11), nov. 2008, p. 1071-1082.
STUCKEY B.G., « Female sexual function and dysfunction in the reproductive years, the influence of endogenous and exogenous sex hormones », *J. Sex. Med.*, n° 5 (10), oct. 2008, p. 2282-2290.

3. Qualité de l'alimentation et du pH sur la fécondité
WHYTE J.J., ALEXENKO A.P., DAVIS A.M., ELLERSIECK M.R., FOUNTAIN E.D., ROSENFELD C.S., « Maternal diet composition alters serum steroid and free fatty acid concentrations and vaginal pH in mice », *J. Endocrinol.*, n° 192 (1), janv. 2007, p. 75-81.

GRUBEROVA J., BIKOVA S., ULCOVA-GALLOVA Z., REISCHIG J., ROKYTA Z., « Ovulatory mucus and its pH, arborization and spermagglutination antibodies in women with fertility disorders », *Ceska Gynekol.*, n° 71 (1), janv. 2006, p. 36-40.

HELMERHORST F.M., VAN VLIET H.A., GORNAS T., FINKEN M.J., GRIMES D.A., « Intrauterine insemination versus timed intercourse for cervical hostility in subfertile couples », *Obstet. Gynecol. Surv.*, n° 61 (6), juin 2006, p. 402-414.

RATH D., TOPFER-PETERSEN E., MICHELMANN H.W., SCHWARTZ P., VON WITZENDORFF D., EBELING S., EKHLASI-HUNDRIESER M., PIEHLER E., PETRUNKINA A., ROMAR R., « Structural, biochemical and functional aspects of sperm-oocyte interactions in pigs », *Soc. Reprod. Fertil. Suppl.*, n° 62, 2006, p. 317-330.

4. Efficacité de l'acupuncture pour les FIV

MANHEIMER E., ZHANG G., UDOFF L., HARAMATI A., LANGENBERG P., BERMAN B.M., BOUTER L.M., « Effects of acupuncture on rates of pregnancy and live birth among women undergoing in vitro fertilisation : systematic review and meta-analysis », *BMJ*, n° 336 (7643), 8 mars 2008, p. 545-549.

5. Efficacité du « Point des beaux bébés » pour éviter les césariennes

NERI I., AIROLA G., CONTU G., ALLAIS G., FACCHINETTI F., BENEDETTO C., « Acupuncture plus moxibustion to resolve breech presentation : a randomized controlled study », *J. Matern. Fetal. Neonatal. Med.*, n° 15 (4), avr. 2004, p. 247-252.

CARDINI F., WEIXIN H., « Moxibustion for correction of breech presentation : a randomized controlled trial », *JAMA*, n° 280 (18), 11 nov. 1998, p. 1580-1584.

BOOG G., « Alternative methods instead of external cephalic version in the event of breech presentation. Review of the literature », *J. Gynecol. Obstet. Biol. Reprod.*, n° 33 (2), avr. 2004, p. 94-98.

6. Efficacité de l'acupuncture pendant l'accouchement

GAUDERNACK L.C., FORBORD S., HOLE E., « Acupuncture administered after spontaneous rupture of membranes at term significantly reduces the length of birth and use of oxytocin. A randomized controlled trial », *Acta Obstet. Gynecol. Scand.*, n° 85 (11), 2006, p. 1348-1353.

SKILLMAN E., FOSSEN D., HEIBERG E., « Acupuncture in the management of pain in labor », *Acta Obstet. Gynecol. Scand.*, n° 81 (10), oct. 2002, p. 943-948.

NESHEIM B.I., KINGE R., BERG B., ALFREDSSON B., ALLGOT E., HOVE G., JOHNSEN W., JORSETT I., SKEI S., SOLBERG S., « Acupuncture during labor can reduce the use of meperidine : a controlled clinical study », *Clin. J. Pain*, n° 19 (3), mai-juin 2003, p. 187-191.

RAMNERO A., HANSON U., KIHLGREN M., « Acupuncture treatment during labour – a randomised controlled trial », *BJOG*, n° 109 (6), juin 2002, p. 637-644.

TERNOV K., NILSSON M., LOFBERG L., ALGOTSSON L., AKESON J., « Acupuncture for pain relief during childbirth », *Acupunct. Electrother. Res.*, n° 23 (1), 1998, p. 19-26.

MARTENSSON L., WALLIN G., « Use of acupuncture and sterile water injection for labor pain : a survey in Sweden », *Birth.*, n° 33 (4), déc. 2006, p. 289-296.

7. Risques liés à la prise d'hormones

NELSON H.D., HUMPHREY L.L., NYGREN P., TEUTSCH S.M., ALLAN J.D., « Postmenopausal hormone replacement therapy : scientific review », *JAMA*, n° 288 (7), 21 août 2002, p. 872-881.

CHLEBOWSKI R.T., HENDRIX S.L., LANGER R.D., STEFANICK M.L., GASS M., LANE D., RODABOUGH R.J., GILLIGAN M.A., CYR M.G., THOMSON C.A., KHANDEKAR J., PETROVITCH H., McTIERNAN A., « WHIMS Investigators. Influence of estrogens plus progestin on breast cancer and mammography in healthy postmenopausal women : the Women's Health Initiative Randomized Trial », *JAMA*, n° 289 (24), 25 juin 2003, p. 3243-3253.

NOTES DU CHAPITRE DE 40 À 50 ANS

1. Constipation et points d'acupuncture
JEON S.Y., JUNG H.M., « The effects of abdominal meridian massage on constipation among CVA patients », *Taehan Kanho Hakhoe Chi.*, n° 35 (1), fév. 2005, p. 135-142.
IWA M., NAKADE Y., PAPPAS T.N., TAKAHASHI T., « Electroacupuncture improves restraint stress-induced delay of gastric emptying via central glutaminergic pathways in conscious rats », *Neurosci. Lett.*, n° 399 (1-2), 15 mai 2006, p. 6-10.
IWA M., NAKADE Y., PAPPAS T.N., TAKAHASHI T., « Electroacupuncture elicits dual effects : stimulation of delayed gastric emptying and inhibition of accelerated colonic transit induced by restraint stress in rats », *Dig. Dis. Sci.*, n° 51 (8), août 2006, p. 1493-1500.

2. Action du chrome
DJORDJEVIC P.B., DIMITRIJEVIC V., MAKSIMOVIC R., VRVIC M., VUCETIC J., « Application of organic bound chrome in disturbed glycoregulation therapy », *Transplant. Proc.*, n° 27 (6), déc. 1995, p. 3333-3334.

3. Amaigrissement et efficacité des points d'acupuncture
CABYOGLU M.T., ERGENE N., TAN U., « The treatment of obesity by acupuncture », *Int. J. Neurosci.*, n° 116 (2), fév. 2006, p. 165-175.
WANG S.J., LI Q., SHE Y.F., LI A.Y., XU H.Z., ZHAO Z.G., « Effect of electroacupuncture on metabolism of lipids in rats of obesity induced by sodium glutamate », *Zhongguo Zhen Jiu*, n° 25 (4), avr. 2005, p. 269-271.
YU A.S., YANG J.S., WEI L.X., XIE Y.Y., « Observation on therapeutic effect of simple obesity treated with acupuncture, auricular point sticking and TDP », *Zhongguo Zhen Jiu*, n° 25 (11), nov. 2005, p. 828-830.
MI Y.Q., « Clinical study on acupuncture for treatment of 80 cases of simple obesity », *Zhongguo Zhen Jiu*, n° 25 (2), fév. 2005, p. 95-97.
KANG S.B., GAO X.L., WANG S.J., WANG Y.J., « Acupuncture for treatment of simple obesity and its effect on serum leptin level of the patient », *Zhongguo Zhen Jiu*, n° 25 (4), avr. 2005, p. 243-245.
WANG L.L., YIN G.Z., « Effects of acupuncture on leptin level and relative factors in the simple obesity Uigur patient », *Zhongguo Zhen Jiu*, n° 25 (12), déc. 2005, p. 834-836.
XU B., YUAN J.H., LIU Z.C., CHEN M., WANG X.J., « Effect of acupuncture on plasma peptide YY in the patient of simple obesity », *Zhongguo Zhen Jiu*, n° 25 (12), déc. 2005, p. 837-840.

4. Points auriculaires et régulation de l'appétit
SHIRAISHI T., ONOE M., KAGEYAMA T., SAMESHIMA Y., KOJIMA T., KONISHI S., YOSHIMATSU H., SAKATA T., « Effects of auricular acupuncture stimulation on nonobese, healthy volunteer subjects », *Obes. Res.*, Suppl. 5, 3 déc. 1995, p. 667S-673S.
ASAMOTO S., TAKESHIGE C., « Activation of the satiety center by auricular acupuncture point stimulation », *Brain Res. Bull.*, n° 29 (2), août 1992, p. 157-164.
RICHARDS D., MARLEY J., « Stimulation of auricular acupuncture points in weight loss », *Aust. Fam. Physician.*, Suppl. 2, 27 juil. 1998, p. S73-77.

5. L'efficacité de l'acupuncture sur les lombalgies

WEIDENHAMMER W., LINDE K., STRENG A., HOPPE A., MELCHART D., « Acupuncture for chronic low back pain in routine care : a multicenter observational study », *Clin. J. Pain.*, n° 23 (2), fév. 2007, p. 128-135.

LINDE K., WEIDENHAMMER W., STRENG A., HOPPE A., MELCHART D., « Acupuncture for osteoarthritic pain : an observational study in routine care », *Rheumatology*, n° 45 (2), fév. 2006, p. 222-227.

COCHRANE T., DAVEY R.C., MATTHES EDWARDS S.M., « Randomised controlled trial of the cost-effectiveness of water-based therapy for lower limb osteoarthritis », *Health Technol. Assess.*, n° 9 (31), août 2005, p. III-IV, IX-XI, 1-114.

ITOH K., KATSUMI Y., KITAKOJI H., « Trigger point acupuncture treatment of chronic low back pain in elderly patients – a blinded RCT », *Acupunct. Med.*, n° 22 (4), déc. 2004, p. 170-177.

MANHEIMER E. et coll., « Meta-analysis : acupuncture for low back pain », *Ann. Int. Med.*, n° 142, p. 651-663.

WITT C.M., JENA S., SELIM D., et al., « Pragmatic randomized trial evaluating the clinical and economic effectiveness of acupuncture for chronic low back pain », *Am. J. Epidemiol.*, vol. 164, n° 5, 1er sept. 2006, p. 487-496.

6. Lombalgies et efficacité des points auriculaires

SATOR-KATZENSCHLAGER S.M., MICHALEK-SAUBERER A., « P-Stim auricular electroacupuncture stimulation device for pain relief », *Expert Rev. Med. Devices*, n° 4 (1), janv. 2007, p. 23-32.

SATOR-KATZENSCHLAGER S.M., SCHARBERT G., KOZEK-LANGENECKER S.A., SZELES J.C., FINSTER G., SCHIESSER A.W., HEINZE G., KRESS H.G., « The short and long-term benefit in chronic low back pain through adjuvant electrical versus manual auricular acupuncture », *Anesth. Analg.*, n° 98 (5), mai 2004, p. 1359-1364, table of contents.

NOTES DU CHAPITRE DE 50 À 60 ANS

1. Acupuncture et amélioration du rythme cardiaque

YU Y., CUI C., YU J., « Tachycardia ameliorated by electroacupuncture in morphine withdrawal rats », *Zhongguo Zhong Xi Yi Jie He Za Zhi*, n° 20 (5), mai 2000, p. 353-355.

GAO J., FU W., JIN Z., YU X., « A preliminary study on the cardioprotection of acupuncture pretreatment in rats with ischemia and reperfusion : involvement of cardiac beta-adrenoceptors », *J. Physiol. Sci.*, n° 56 (4), août 2006, p. 275-279.

2. Psychologie et cancer

SCHWARZ S., MESSERSCHMIDT H., DÖREN M., « Psychosocial risk factors for cancer development », *Med. Klin.*, n° 102 (12), 15 déc. 2007, p. 967-979.

BLEIKER E.M., VAN DER PLOEG H.M., « Psychosocial factors in the etiology of breast cancer : review of a popular link », *Patient Educ. Couns.*, n° 37 (3), juil. 1999, p. 201-214.

3. Hormones et cancers du sein

MUKHERJEE S., MAJUMDER D., « Computational molecular docking assessment of hormone receptor adjuvant drugs : breast cancer as an example, *Pathophysiology*, 13 janv. 2009.

4. Sport et cancer

LAHMANN P.H., FRIEDENREICH C., SCHUIT A.J., SALVINI S., ALLEN N.E., KEY T.J., KHAW K.T., BINGHAM S., PEETERS P.H., MONNINKHOF E., BUENO-DE-MESQUITA H.B., WIRFÄLT E., MANJER J., GONZALES C.A., ARDANAZ E., AMIANO P., QUIRÓS J.R., NAVARRO C., MARTINEZ C., BERRINO F., PALLI D., TUMINO R., PANICO S., VINEIS P., TRICHOPOULOU A., BAMIA C., TRICHOPOULOS D., BOEING H., SCHULZ M., LINSEISEN J., CHANG-CLAUDE J., CHAPELON F.C., FOURNIER A., BOUTRON-RUAULT M.C., TJØNNELAND A., FØNS JOHNSON N., OVERVAD K., KAAKS R., RIBOLI E., « Physical activity and breast cancer risk : the european prospective investigation into cancer and nutrition », *Cancer Epidemiol. Biomarkers. Prev.*, n° 16 (1), janv. 2007, p. 36-42.

5. Effet du millepertuis contre la dépression

RAHIMI R., NIKFAR S., ABDOLLAHI M., « Efficacy and tolerability of *Hypericum perforatum* in major depressive disorder in comparison with selective serotonin reuptake inhibitors : a meta-analysis », *Prog. Neuropsychopharmacol. Biol. Psychiatry*, n° 33 (1), 1er fév. 2009, p. 118-127.

6. Soja et ménopause

DALAIS F.S., RICE G.E., WAHLQVIST M.L., GREHAN M., MURKIES A.L., MEDLEY G., AYTON R., STRAUSS B.J., « Effects of dietary phytoestrogens in postmenopausal women », *Climacteric.*, n° 1 (2), juin 1998, p. 124-129.

7. Acupuncture et bouffées de chaleur

HUANG M.I., NIR Y., CHEN B., SCHNYER R., MANBER R., « A randomized controlled pilot study of acupuncture for postmenopausal hot flashes : effect on nocturnal hot flashes and sleep quality », *Fertil. Steril.*, n° 86 (3), sept. 2006, p. 700-710.
COHEN S.M., ROUSSEAU M.E., CAREY B.L., « Can acupuncture ease the symptoms of menopause ? », *Holist. Nurs. Pract.*, n° 17 (6), nov.-déc. 2003, p. 295-299.
NIR Y., HUANG M.I., SCHNYER R., CHEN B., MANBER R., « Acupuncture for postmenopausal hot flashes », *Maturitas.*, 18 déc. 2006.

8. Point *baihui* et régulation des hormones

LAI X.S., HUANG Y., « A comparative study on the acupoints of specialty of *baihui*, *shuigou* and *shenmen* in treating vascular dementia, *Chin. J. Integr. Med.*, n° 11 (3), sept. 2005, p. 161-166.

9. Acupuncture et sécrétion d'œstrogènes

ZHAO H., TIAN Z.Z., CHENG L., CHEN B.Y., « Electroacupuncture enhances extragonadal aromatization in ovariectomized rats », *Reprod. Biol. Endocrinol.*, n° 2, 27 avr. 2004, p. 18.
ZHAO H., TIAN Z.Z., CHEN B.Y., « Electroacupuncture stimulates hypothalamic aromatization », *Brain Res.*, n° 1037 (1-2), 10 mars 2005, p. 164-170.
YAO X., WANG X.Q., MA S.L., CHEN B.Y., « Electroacupuncture stimulates the expression of prolactin-releasing peptide (PrRP) in the medulla oblongata of ovariectomized rats », *Neurosci. Lett.*, n° 411 (3), 16 janv. 2007, p. 243-248.
CHEN B.Y., CHENG L.H., GAO H., JI S.Z., « Effects of electroacupuncture on the expression of estrogen receptor protein and mRNA in rat brain », *Sheng Li Xue Bao*, n° 50 (5), oct. 1998, p. 495-500.

10. Risques du traitement hormonal de la ménopause

NELSON H.D., HUMPHREY L.L., NYGREN P., TEUTSCH S.M., ALLAN J.D., « Postmenopausal hormone replacement therapy : scientific review », *JAMA*, n° 288 (7), 21 août 2002, p. 872-881.
CHLEBOWSKI R.T., HENDRIX S.L., LANGER R.D., STEFANICK M.L., GASS M., LANE D., RODABOUGH R.J., GILLIGAN M.A., CYR M.G., THOMSON C.A., KHANDEKAR

J., Petrovitch H., McTiernan A., « WHIMS Investigators. Influence of estrogen plus progestin on breast cancer and mammography in healthy postmenopausal women : the Women's Health Initiative Randomized Trial », *JAMA*, n° 289 (24), 25 juin 2003, p. 3243-3253.

Shumaker S.A., Legault C., Rapp S.R., Thal L., Wallace R.B., Ockene J.K., Hendrix S.L., Jones B.N. 3rd, Assaf A.R., Jackson R.D., Kotchen J.M., Wassertheil-Smoller S., Wactawski-Wende J., « WHIMS Investigators. Estrogen plus progestin and the incidence of dementia and mild cognitive impairment in postmenopausal women : the Women's Health Initiative Memory Study : a randomized controlled trial », *JAMA*, n° 289 (20), 28 mai 2003, p. 2651-2662.

Espeland M.A., Rapp S.R., Shumaker S.A., Brunner R., Manson J.E., Sherwin B.B., Hsia J., Margolis K.L., Hogan P.E., Wallace R., Dailey M., Freeman R., Hays J., « WHIMS. Conjugated equine estrogens and global cognitive function in postmenopausal women : Women's Health Initiative Memory Study », *JAMA*, n° 291 (24), 23 juin 2004, p. 2959-2968.

Shumaker S.A., Legault C., Rapp S.R., Thal L., Wallace R.B., Ockene J.K., Hendrix S.L., Jones B. N. 3rd, Assaf A.R., Jackson R.D., Kotchen J.M., Wassertheil-Smoller S., Wactawski-Wende J., « WHIMS Investigators. Conjugated equine estrogens and incidence of probable dementia and mild cognitive impairment in postmenopausal women : Women's Health Initiative Memory Study », *JAMA*, n° 291 (24), 23 juin 2004, p. 2947-2958.

Toniolo P.G., Levitz M., Zeleniuch-Jacquotte A., Banerjee S., Koenig K.L., Shore R.E., Strax P., Pasternack B.S., « A prospective study of endogenous estrogens and breast cancer in postmenopausal women », *J. Natl. Cancer. Inst.*, n° 87 (3), 1er fév. 2009, p. 190-197.

Lacut K., Oger E., « Hormone therapy and risk for venous thromboembolism in postmenopausal women », *Rev. Prat.*, n° 55 (4), 28 fév. 2005, p. 389-392.

Wu O., « Postmenopausal hormone replacement therapy and venous thromboembolism », *Gend. Med.*, n° 2, Suppl A, 2005, p. S18-27.

Cirillo D.J., Wallace R.B., Rodabough R.J., Greenland P., LaCroix A.Z., Limacher M.C., Larson J.C., « Effect of estrogen therapy on gallbladder disease », *JAMA*, n° 293 (3), 19 janv. 2005, p. 330-339.

Potischman N., Hoover R.N., Brinton L.A., Siiteri P., Dorgan J.F., Swanson C.A., Berman M.L., Mortel R., Twiggs L.B., Barrett R.J., Wilbanks G.D., Persky V., Lurain J.R., « Case-control study of endogenous steroid hormones and endometrial cancer », *J. Natl. Cancer Inst.*, n° 88 (16), 21 août 1996, p. 1127-1135.

11. Le point « Barrière interne » *(neiguan)* et ses effets sur le cœur

Gao J., Fu W., Jin Z., Yu X., « Acupuncture pretreatment protects heart from injury in rats with myocardial ischemia and reperfusion *via* inhibition of the beta (1)-adrenoceptor signaling pathway », *Life Sci.*, 20 janv. 2007.

Lujan H.L., Kramer V.A., Dicarlo S.E., « Electro-acupuncture decreases the susceptibility to ventricular tachycardia in conscious rats by reducing cardiac metabolic demand », *Am. J. Physiol. Heart Circ. Physiol.*, 5 janv. 2007.

Zeng Q., Li M., Ouyang X., Nong Y., Liu X., Shi J., Guan X., « Effect of electroacupuncture on reperfusion ventricular arrhythmia in rat », *J. Huazhong Univ. Sci. Technolog. Med. Sci.*, n° 26 (3), 2006, p. 269-271, 277.

Wang X.R., Xiao J., Sun D.J., « Myocardial protective effects of electroacupuncture and hypothermia on porcine heart after ischemia/reperfusion », *Acupunct. Electrother. Res.*, n° 28 (3-4), 2003, p. 193-200.

Tsou M.T., Huang C.H., Chiu J.H., « Electroacupuncture on PC6 *(Neiguan)* attenuates ischemia/reperfusion injury in rat hearts », *Am. J. Chin. Med.*, n° 32 (6), 2004, p. 951-965.

12. Effets bénéfiques de la restriction calorique

Mlacnik E., Bockstahler B.A., Muller M., Tetrick M.A., Nap R.C., Zentek J., « Effects of caloric restriction and a moderate or intense physiotherapy program for treatment of lameness in overweight dogs with osteoarthritis », *J. Am. Vet. Med. Assoc.*, n° 229 (11), 1er déc. 2006, p. 1756-1760.

Smith G.K., Paster E.R., Powers M.Y., Lawler D.F., Biery D.N., Shofer F.S., McKelvie P.J., Kealy R.D., « Lifelong diet restriction and radiographic evidence of osteoarthritis of the hip joint in dogs », *J. Am. Vet. Med. Assoc.*, n° 229 (5), 1er sept. 2006, p. 690-693.

Kealy R.D., Lawler D.F., « Evaluation of the effect of limited food consumption on radiographic evidence of osteoarthritis in dogs », *J. Am. Vet. Med. Assoc.*, n° 217 (11), 1er déc. 2000, p. 1678-1680.

Miller G.D., Nicklas B.J., Davis C., Loeser R.F., Lenchik L., Messier S.P., « Intensive weight loss program improves physical function in older obese adults with knee osteoarthritis », *Obesity (Silver Spring)*, n° 14 (7), juil. 2006, p. 1219-1230.

Messier S.P., Loeser R.F., Mitchell M.N., Valle G., Morgan T.P., Rejeski W.J., Ettinger W.H., « Exercise and weight loss in obese older adults with knee osteoarthritis : a preliminary study », *J. Am. Geriatr. Soc.*, n° 48 (9), sept. 2000, p. 1062-1072.

Johnson J.B., Laub D.R., John S., « The effect on health of alternate day calorie restriction : eating less and more than needed on alternate days prolongs life », *Med. Hypotheses.*, n° 67 (2), 2006, p. 209-211.

Johnson J.B., Summer W., Cutler R.G., Martin B., Hyun D.H., Dixit V.D., Pearson M., Nassar M., Tellejohan R., Maudsley S., Carlson O., John S., Laub D.R., Mattson M.P., « Alternate day calorie restriction improves clinical findings and reduces markers of oxidative stress and inflammation in overweight adults with moderate asthma », *Free Radic. Biol. Med.*, n° 42 (5), 1er mars 2007, p. 665-674.

NOTES DU CHAPITRE DE 60 À 70 ANS

1. Âge biologique et âge psychologique

Alaphilippe D., « Self-esteem in the elderly », *Psychol. Neuropsychiatr. Vieil.*, n° 6 (3), sept. 2008, p. 167-176.

Pruessner J.C., Lord C., Meaney M., Lupien S., « Effects of self-esteem on age-related changes in cognition and the regulation of the hypothalamic-pituitary-adrenal axis », *Ann. N. Y. Acad. Sci.*, n° 1032, déc. 2004, p. 186-190.

2. Points d'acupuncture et arthrose

Vas J., Mendez C., Perea-Milla E., Vega E., Panadero M.D., Leon J.M., Borge M.A., Gaspar O., Sanchez-Rodriguez F., Aguilar I., Jurado R., « Acupuncture as a complementary therapy to the pharmacological treatment of osteoarthritis of the knee : randomised controlled trial », *BMJ*, n° 329 (7476), 20 nov. 2004, p. 1216.

Witt C.M., Jena S., Brinkhaus B., Liecker B., Wegscheider K., Willich S.N., « Acupuncture in patients with osteoarthritis of the knee or hip : a randomized, controlled trial with an additional nonrandomized arm », *Arthritis. Rheum.*, n° 54 (11), nov. 2006, p. 3485-3493.

Li C.D., Huang X.Y., Yang X.G., Wang Q.F., Huang S.Q., « Observation on therapeutic effect of warming needle moxibustion on knee osteoarthritis of deficiency-cold type », *Zhongguo Zhen Jiu*, n° 26 (3), mars 2006, p. 189-191.

Berman B.M., Lao L., Langenberg P., Lee W.L., Gilpin A.M., Hochberg M.C., « Effectiveness of acupuncture as adjunctive therapy in osteoarthritis of the knee :

a randomized, controlled trial », *Ann. Intern. Med.*, n° 141 (12), 21 déc. 2004, p. 901-910.

MANHEIMER E., LIM B., LAO L., BERMAN B., « Acupuncture for knee osteoarthritis – a randomised trial using a novel sham », *Acupunct. Med.*, 24 Suppl., déc. 2006, p. S7-14.

3. Alimentation et arthrose

HAILU A., KNUTSEN S.F., FRASER G.E., « Associations between meat consumption and the prevalence of degenerative arthritis and soft tissue disorders in the adventist health study », *California U.S.A. J. Nutr. Health Aging*, n° 10 (1), janv.-fév. 2006, p. 7-14.

4. Causes des troubles de la mémoire

CAO Q., JIANG K., ZHANG M., LIU Y., XIAO S., ZUO C., HUANG H., « Brain glucose metabolism and neuropsychological test in patients with mild cognitive impairment », *Chin. Med. J. (Engl.)*, n° 116 (8), août 2003, p. 1235-1238.

CAO Q., JIANG K., LIU Y., ZHANG M., XIAO S., ZUO C., HUANG H., « The comparison of the regional cerebral metabolism rate of glucose in Alzheimer's disease with mild cognitive impairment », *Zhonghua Yi Xue Za Zhi*, n° 82 (23), 10 déc. 2002, p. 1613-1616.

DRZEZGA A., LAUTENSCHLAGER N., SIEBNER H., RIEMENSCHNEIDER M., WILLOCH F., MINOSHIMA S., SCHWAIGER M., KURZ A., « Cerebral metabolic changes accompanying conversion of mild cognitive impairment into Alzheimer's disease : a PET follow-up study », *Eur. J. Nucl. Med. Mol. Imaging*, n° 30 (8), août 2003, p. 1104-1113.

HARA Y., HAYABARA T., SASAKI K., FUJISAWA Y., KAWADA R., YAMAMOTO T., NAKASHIMA Y., YOSHIMUNE S., KAWAI M., KIBATA M., KURODA S., « Free radicals and superoxide dismutase in blood of patients with Alzheimer's disease and vascular dementia », *J. Neurol. Sci.*, n° 153 (1), 9 déc. 1997, p. 76-81.

5. Mémoire du cœur

BUZIASHVILI Y.I. et ses coauteurs (AMBAT'ELLO S.G., ALEKSAKHINA Y.A., PASHCHENKOV M.V.), « Influence of cardiopulmonary bypass on the state of cognitive functions in patients with ischemic heart disease », *Neurosci. Behav. Physiol.*, n° 36 (2), fév. 2006, p. 107-113.

SHAPIRA M., THOMPSON C.K., SOREQ H., ROBINSON G.E., « Changes in neuronal acetylcholinesterase gene expression and division of labor in honey bee colonies », *J. Mol. Neurosci.*, n° 17 (1), août 2001, p. 1-12.

WILSON D.A., FLETCHER M.L., SULLIVAN R.M., « Acetylcholine and olfactory perceptual learning », *Learn. Mem.*, n° 11 (1), janv.-fév. 2004, p. 28-34.

FERREIRA G. (FERREIRA G., MEURISSE M., GERVAIS R., RAVEL N. and LÉVY F.), « Extensive immunolesions of basal forebrain cholinergic system impair offspring recognition in sheep », *Neuroscience*, vol. 106, issue 1, 3 sept. 2001, p. 103-116.

IWANAGA M., KOBAYASHI A., KAWASAKI C., « Heart rate variability with repetitive exposure to music », *Biol. Psychol.*, n° 70 (1), sept. 2005, p. 61-66.

SARTER M., BRUNO J.P., GIVENS B., « Attentional functions of cortical cholinergic inputs : what does it mean for learning and memory ? », *Neurobiol. Learn. Mem.*, n° 80 (3), nov. 2003, p. 245-256.

LANEY C., CAMPBELL H.V., HEUER F., REISBERG D., « Memory for thematically arousing events, *Mem. Cognit.*, n° 32 (7), oct. 2004, p. 1149-1159.

6. Oméga 3 et action sur le cerveau

HAMILTON J.A., HILLARD C.J., SPECTOR A.A., WATKINS P.A., « Brain uptake and utilization of fatty acids, lipids and lipoproteins : application to neurological disorders », *J. Mol. Neurosci.*, n° 33 (1), sept. 2007, p. 2-11.

KATZ R., HAMILTON J.A., POWNALL H.J., DECKELBAUM R.J., HILLARD C.J., LEBOEUF R.C., WATKINS P.A., « Brain uptake and utilization of fatty acids, lipids & lipoproteins : recommendations for future research », *J. Mol. Neurosci.*, n° 33 (1), sept. 2007, p. 146-150.

7. KELDER P., *Les 5 Tibétains : secrets de jeunesse et de vitalité*, Vivez Soleil, 1999.

8. BREG P., *Les Clefs en or vers la santé physique interne*, 1999.

9. Silicium, ostéoporose et arthrose
KHODYREV V.N., BEKETOVA N.A., KODENTSOVA V.M., VRZHESINSKAIA O.A., KOSHELEVA O.V., PEREVERZEVA O.G., RZHANIKOV E.B., SPIRICHEV V.B., « The influence of the vitamin-mineral complex upon the blood vitamin, calcium and phosphorus of patients with ostreoarthrosis », *Vopr. Pitan.*, n° 75 (2), 2006, p. 44-47.

10. Effets bénéfiques de la restriction calorique
MLACNIK E., BOCKSTAHLER B.A., MULLER M., TETRICK M.A., NAP R.C., ZENTEK J., « Effects of caloric restriction and a moderate or intense physiotherapy program for treatment of lameness in overweight dogs with osteoarthritis », *J. Am. Vet. Med. Assoc.*, n° 229 (11), 1er déc. 2006, p. 1756-1760.

SMITH G.K., PASTER E.R., POWERS M.Y., LAWLER D.F., BIERY D.N., SHOFER F.S., MCKELVIE P.J., KEALY R.D., « Lifelong diet restriction and radiographic evidence of osteoarthritis of the hip joint in dogs », *J. Am. Vet. Med. Assoc.*, n° 229 (5), 1er sept. 2006, p. 690-693.

KEALY R.D., LAWLER D.F., « Evaluation of the effect of limited food consumption on radiographic evidence of osteoarthritis in dogs », *J. Am. Vet. Med. Assoc.*, n° 217 (11), 1er déc. 2000, p. 1678-1680.

MILLER G.D., NICKLAS B.J., DAVIS C., LOESER R.F., LENCHIK L., MESSIER S.P., « Intensive weight loss program improves physical function in older obese adults with knee osteoarthritis », *Obesity (Silver Spring)*, n° 14 (7), juil. 2006, p. 1219-1230.

MESSIER S.P., LOESER R.F., MITCHELL M.N., VALLE G., MORGAN T.P., REJESKI W.J., ETTINGER W.H., « Exercise and weight loss in obese older adults with knee osteoarthritis : a preliminary study », *J. Am. Geriatr. Soc.*, n° 48 (9), sept. 2000, p. 1062-1072.

JOHNSON J.B., LAUB D.R., JOHN S., « The effect on health of alternate day calorie restriction : eating less and more than needed on alternate days prolongs life », *Med. Hypotheses.*, n° 67 (2), 2006, p. 209-211.

JOHNSON J.B., SUMMER W., CUTLER R.G., MARTIN B., HYUN D.H., DIXIT V.D., PEARSON M., NASSAR M., TELLEJOHAN R., MAUDSLEY S., CARLSON O., JOHN S., LAUB D.R., MATTSON M.P., « Alternate day calorie restriction improves clinical findings and reduces markers of oxidative stress and inflammation in overweight adults with moderate asthma », *Free Radic. Biol. Med.*, n° 42 (5), 1er mars 2007, p. 665-674.

11. Gingembre et arthrose
SHEN C.L., HONG K.J., KIM S.W., « Comparative effects of ginger root (*Zingiber officinale Rosc.*) on the production of inflammatory mediators in normal and osteoarthrotic sow chondrocytes », *J. Med. Food.*, n° 8 (2), été 2005, p. 149-153.

SHEN C.L., HONG K.J., KIM S.W., « Effects of ginger (*Zingiber officinale Rosc.*) on decreasing the production of inflammatory mediators in sow osteoarthrotic cartilage explants », *J. Med. Food.*, n° 6 (4), hiver 2003, p. 323-328.

THOMSON M., AL-QATTAN K.K., AL-SAWAN S.M., ALNAQEEB M.A., KHAN I., ALI M., « The use of ginger (*Zingiber officinale Rosc.*) as a potential anti-inflammatory and antithrombotic agent », *Prostaglandins Leukot Essent Fatty Acids.*, n° 67 (6), déc. 2002, p. 475-478.

12. Lipides et arthroses

RICHARDSON D.C., SCHOENHERR W.D., ZICKER S.C., « Nutritional management of osteoarthritis », *Vet. Clin. North Am. Small Anim. Pract.*, n° 27 (4), juil. 1997, p. 883-911.

KREMER J.M., BIGAUOETTE J., MICHALEK A.V., TIMCHALK M.A., LININGER L., RYNES R.I., HUYCK C., ZIEMINSKI J., BARTHOLOMEW L.E., « Effects of manipulation of dietary fatty acids on clinical manifestations of rheumatoid arthritis », *Lancet.*, n° 1 (8422), 26 janv. 1985, p. 184-187.

SURETTE M.E., KOUMENIS I.L., EDENS M.B., TRAMPOSCH K.M., CHILTON F.H., « Inhibition of leukotriene synthesis, pharmacokinetics, and tolerability of a novel dietary fatty acid formulation in healthy adult subjects », *Clin. Ther.*, n° 25 (3), mars 2003, p. 948-971.

13. Plantes et arthroses

MCALINDON T.E., « Nutraceuticals : do they work and when should we use them? », *Best Pract. Res. Clin. Rheumatol.*, n° 20 (1), fév. 2006, p. 99-115.

14. Compléments alimentaires et articulations

BUI L.M., BIERER T.L., « Influence of green lipped mussels (*Perna canaliculus*) in alleviating signs of arthritis in dogs », *Vet. Ther.*, n° 4 (4), hiver 2003, p. 397-407.

15. Points d'acupuncture et effets contre le vieillissement

LIU C.Z., YU J.C., ZHANG X.Z., FU W.W., WANG T., HAN J.X., « Acupuncture prevents cognitive deficits and oxidative stress in cerebral multi-infarction rats », *Neurosci. Lett.*, n° 393 (1), 23 janv. 2006, p. 45-50.

GAO H., YAN L., LIU B., WANG Y., WEI X., SUN L., CUI H., « Clinical study on treatment of senile vascular dementia by acupuncture », *J. Tradit. Chin. Med.*, n° 21 (2), juin 2001, p. 103-109.

LAI X., MO F., JIANG G., « Observation of clinical effect of acupuncture on vascular dementia and its influence on superoxide dismutase, lipid peroxide and nitric oxide », *Zhongguo Zhong Xi Yi Jie He Za Zhi*, n° 18 (11), nov. 1998, p. 648-651.

16. Point d'acupuncture et mémoire

1. Vascularisation du cerveau

NEWBERG A.B., LARICCIA P.J., LEE B.Y., FARRAR J.T., LEE L., ALAVI A., « Cerebral blood flow effects of pain and acupuncture : a preliminary single-photon emission computed tomography imaging study », *J. Neuroimaging.*, n° 15 (1), janv. 2005, p. 43-49.

DONG J.C., LI J., ZUO C.T., « Influence of needling at yin-yang meridian points on cerebral glucose metabolism », *Zhongguo Zhong Xi Yi Jie He Za Zhi*, n° 22 (2), fév. 2002, p. 107-109.

JIA S.W., WANG Q.S., XU W.G., « Study on influence of acupunctural signal on energy metabolism of human brain by positron emission tomography », *Zhongguo Zhong Xi Yi Jie He Za Zhi*, n° 22 (7), juil. 2002, p. 508-111.

ZHANG X.Y., GAO S., ZHAO J.G., CAI L., PANG J.P., LU M.X., « PET study of effects of combination of different points on glucose metabolism in the patient of cerebral infarction », *Zhongguo Zhen Jiu*, n° 27 (1), janv. 2007, p. 26-30.

HUANG Y., LI D.J., TANG A.W., LI Q.S., XIA D.B., XIE Y.N., GONG W., CHEN J., « Effect of scalp acupuncture on glucose metabolism in brain of patients with depression », *Zhongguo Zhong Xi Yi Jie He Za Zhi*, n° 25 (2), fév. 2005, p. 119-122.

2. Prévention et amélioration des fonctions cognitives

YU J., YU T., HAN J., « Aging-related changes in the transcriptional profile of cerebrum in senescence-accelerated mouse (SAMP10) is remarkably retarded by acupuncture », *Acupunct. Electrother. Res.*, n° 30 (1-2), 2005, p. 27-42.

Yu J., Liu C., Zhang X., Han J., « Acupuncture improved cognitive impairment caused by multi-infarct dementia in rats », *Physiol. Behav.*, n° 86 (4), 15 nov. 2005, p. 434-441.

Yu J., Zhang X., Liu C., Meng Y., Han J., « Effect of acupuncture treatment on vascular dementia », *Neurol. Res.*, n° 28 (1), janv. 2006, p. 97-103.

Lai X.S., Huang Y., « A comparative study on the acupoints of specialty of *baihui*, *shuigou* and *shenmen* in treating vascular dementia », *Chin. J. Integr. Med.*, n° 11 (3), sept. 2005, p. 161-166.

Wang L., Tang C., Lai X., « Effects of electroacupuncture on learning, memory and formation system of free radicals in brain tissues of vascular dementia model rats », *J. Tradit. Chin. Med.*, n° 24 (2), juin 2004, p. 140-143.

Zhang A., Luo F., Pan Z., Zhou Y., « Influence of cerebral traumatic dementia treated with acupuncture at *houxi* and *shenmen* », *Zhen Ci Yan Jiu*, n° 21 (1), 1996, p. 12-14.

NOTES DE LA CONCLUSION

1. Gène de l'anti-âge

Liang X.B., Liu X.Y., Li F.Q., Luo Y., Lu J., Zhang W.M., Wang X.M., Han J.S., « Long-term high-frequency electroacupuncture stimulation prevents neuronal degeneration and up-regulates BDNF mRNA in the substantia nigra and ventral tegmental area following medial forebrain bundle axotomy », *Brain Res. Mol.*, n° 108 (1-2), déc. 2002, p. 51-59.

Wang S., Cai Y.Y., Shang Y.J., Jin-Rong L., « Effects of head point-through-point electroacupuncture on SOD and LPO in the patient of Parkinson's disease », *Zhongguo Zhen Jiu*, n° 26 (4), avr. 2006, p. 240-242.

Ma J., Wang Y.C., Gan S.Y., « Effects of electroacupuncture on behaviors and dopaminergic neurons in the rat of Parkinson's disease », *Zhongguo Zhen Jiu*, n° 26 (9), sept. 2006, p. 655-657.

Liu C.Z., Yu J.C., Han J.X., « Effects of acupuncture on expression CuZnSOD mRNA and protein in hippocampus of the rat with multi-infarct dementia », *Zhongguo Zhen Jiu*, n° 26 (2), fév. 2006, p. 129-132.

Yu J., Lu M., Yu T., Han J., « Differential expression of age-related genes in the cerebrum of senescence-accelerated mouse (SAMP10) and analysis of acupuncture interference using DD-PCR technique », *Acupunct. Electrother. Res.*, n° 27 (3-4), 2002, p. 183-189.

Fu Y., Yu J.C., Ding X.R., Han J.X., « Study on expression of brain aging-relative genes HSP86 and HSP84 and effects of acupuncture in the SAMP10 mouse », *Zhongguo Zhen Jiu*, n° 26 (4), avr. 2006, p. 283-286.

Wen T., Fan X., Li M., Han J., Shi X., Xing L., « Changes of metallothionein 1 and 3 mRNA levels with age in brain of senescence-accelerated mice and the effects of acupuncture », *Am. J. Chin. Med.*, n° 34 (3), 2006, p. 435-447.

Ding X., Yu J., Yu T., Fu Y., Han J., « Acupuncture regulates the aging-related changes in gene profile expression of the hippocampus in senescence-accelerated mouse (SAMP10) », *Neurosci. Lett.*, n° 399 (1-2), 15 mai 2006, p. 11-16.

2. Acupuncture et action anti-âge

Zhu D., Ma Q., Li C., Wang L., « Effect of stimulation of *shensu* point on the aging process of genital system in aged female rats and the role of monoamine neurotransmitters », Shaanxi Provincial Academy of Traditional Chinese Medicine and Pharmacy.

3. DING X., YU J., YU T., FU Y., HAN J., « Acupuncture regulates the aging-related changes in gene profile expression of the hippocampus in senescence-accelerated mouse (SAMP10) », *Acupunct. Electrother. Res.*, n° 30 (1-2), 2005, p. 27-42.

YU J., YU T., HAN J., « Aging-related changes in the transcriptional profile of cere-brum in senescence-accelerated mouse (SAMP10) is remarkably retarded by acupuncture », *Zhongguo Zhen Jiu*, n° 26 (9), sept. 2006, p. 651-654.

FU Y., YU J.C., DING X.R., HAN J.X., « Effects of acupuncture on expressions of transcription factors NF-E2, YB-1, LRG47 in the SAMP10 mouse », *Am. J. Chin. Med.*, n° 34 (3), 2006, p. 435-447.

WEN T., FAN X., LI M., HAN J., SHI X., XING L., « Changes of metallothionein 1 and 3 mRNA levels with age in brain of senescence-accelerated mice and the effects of acupuncture », *Sheng Wu Yi Xue Gong Cheng Xue Za Zhi*, n° 23 (2), avr. 2006, p. 450-454.

LI X., ZHANG J., SONG J., HONG W., « Moxibustion and its application in anti-aging study », *Acupunct. Electrother. Res.*, n° 30 (1-2), 2005, p. 27-42.

YU J., YU T., HAN J., « Aging-related changes in the transcriptional profile of cere-brum in senescence-accelerated mouse (SAMP10) is remarkably retarded by acupuncture », *J. Tradit. Chin. Med.*, n° 20 (1), mars 2000, p. 59-62.

4. Atrophie du cerveau

GEESAMAN B.J., « Genetics of aging : implications for drug discovery and deve-lopment », *Am. J. Clin. Nutr.*, n° 83 (2), fév. 2006, p. 466S-469S.

NOTE DES ANNEXES

1. Alcool

THORER H., VOLF N., « Acupuncture after alcohol consumption : a share controlled Assessinent, *J. of the British Medical Acupuncture Society*, vol. XIV, n° 2, nov. 1996, p. 63-68.

Index des symptômes

**En gras sont indiquées les pages avec les points d'acupuncture à masser
pour soulager et soigner les symptômes concernés.**

Table des matières

La grossesse 97

40 à 50 ans • L'âge de l'essentiel 133

50 à 60 ans • La ménopause, pas de panique !   179

60 à 70 ans • La joie de vivre   215

Graphisme : Sylvie Pistono
e dans l'o